PRINCIPIO ATTIVO
Inchieste e reportage

"Guarda che vengo sotto casa e ti spacco le gambe."

Matteo Renzi ad Alessandro Sallusti, dicembre 2015.

"C'è il grande desiderio di dare fiducia all'Italia e di creare un clima bello."

Dal discorso del premier Matteo Renzi nei giorni della Leopolda, dicembre 2015.

PRETESTO 1

→ *pagine 103, 107*

"Resta tu, io non sarei in grado di farlo."

Matteo Renzi all'allora presidente del Consiglio Enrico Letta, gennaio 2014.

"Buttare all'aria tutto sarebbe meglio per il paese, perché Letta è proprio incapace."

Matteo Renzi al telefono con il generale della Guardia di finanza Michele Adinolfi, gennaio 2014. Conversazione intercettata dalla Procura di Napoli nel corso dell'inchiesta sulla metanizzazione dell'isola di Ischia.

PRETESTO 2
→ *pagine 12, 13*

"Ciò che sotto Berlusconi
era inaccettabile,
adesso è grammatica
del potere."

Roberto Saviano, ilpost.it, dicembre 2015.

– Veramente allucinante,
  siamo senza parole, un ministro,
  che non si sa se resta, porta
  in Consiglio una nomina così.
– Con nostra avversione, ti chiamo
  e ti spiego quello che è successo,
  che ha fatto Matteo ieri.
– Chiamami al fisso.

  Scambio di sms tra il generale della Guardia di finanza Michele Adinolfi
  e il sottosegretario alla Presidenza del Consiglio Luca Lotti, gennaio 2014.
  Adinolfi attacca il ministro Saccomanni che avrebbe osato proporre un nome
  a lui non gradito come comandante della Guardia di finanza.

PRETESTO 3
→ *pagine 99, 36*

– Davvero avete intenzione
di presentare la sfiducia
anche in Senato?
– Non abbiamo ancora deciso
ma pensiamo di sì.
– Io sono agitatissima e, anzi,
scusami se ti chiamo,
ma non so davvero cosa
aspettarmi già domani,
figurati in Senato.
– Ma va, lì siete blindati:
avete i voti di Verdini.
– Appunto.

*Conversazione tra il ministro Maria Elena Boschi, appena travolta
dallo scandalo di Banca Etruria che coinvolge il padre,
e un parlamentare della Lega nord, dicembre 2015.*

PRETESTO 4
→ *pagine 109-110*

"Alla corte del capo sono ammessi tutti purché siano utili allo scopo: conservare il potere. Ciascuno ha un prezzo. Matteo Renzi lo conosce ed è sempre pronto a pagarlo."

© Chiarelettere editore srl
  Soci: Gruppo editoriale Mauri Spagnol S.p.A.
  Lorenzo Fazio (direttore editoriale)
  Sandro Parenzo
  Guido Roberto Vitale (con Paolonia Immobiliare S.p.A.)
  Sede: via Guerrazzi 9, 20145 Milano

  ISBN 978-88-6190-816-1

  Prima edizione: giugno 2016

  www.chiarelettere.it
  BLOG / INTERVISTE / LIBRI IN USCITA

Davide Vecchi

Matteo Renzi.
Il prezzo del potere

Prefazione *di Marco Travaglio*

chiarelettere

Sommario

Prefazione
di Marco Travaglio

La mia prefazione al primo libro di Davide Vecchi su Matteo Renzi, *L'intoccabile*, si concludeva con un'istigazione a proseguire: «Insomma, oltre alla squadra di governo che tutti purtroppo vediamo, formata da ragazzotti e fanciulle tanto mediocri e ignoranti quanto pretenziosi e arroganti, ce n'è un'altra che dirige il traffico da dietro le quinte? Tanti interrogativi ancora avvolgono il passato e il presente del Selfie Mad Man, e dunque di noi tutti italiani da lui governati o sgovernati. E fanno de *L'intoccabile* un libro *in progress*: quando finisci di leggerlo, ti rimane l'acquolina in bocca. Perché già pregusti il secondo volume».

E il secondo volume finalmente è arrivato. Si intitola *Matteo Renzi. Il prezzo del potere*. Mentre il prequel ricostruiva la resistibile ascesa di Renzi, il sequel racconta la resa dei conti tra il presidente del Consiglio e gli uomini con cui ha stretto patti più o meno diabolici e che ora lo convocano alla cassa per saldare il conto e per pagare le cambiali. Di loro abbiamo saputo, nel frattempo, molto di più, grazie a intercettazioni telefoniche e ambientali, altre fonti di inchieste giudiziarie, ma anche di indagini giornalistiche (comprese quelle condotte da Davide Vecchi per «il Fatto Quotidiano»), che ritraggono un uomo molto diverso dal giovane *parvenu* sceso da Firenze a Roma nel 2013 per dare la scalata al partito e subito dopo al governo.

Il «nuovo» Renzi, dopo soli due anni a Palazzo Chigi, è un uomo di potere spregiudicato, rancoroso, vendicativo, che non si fa scrupolo di invadere financo la vita privata altrui (salvo ergersi a paladino della privacy quando viene toccato qualcuno dei suoi fedelissimi). La sua voce, registrata e ascoltata nelle intercettazioni testuali e inedite con l'amico generale della Guardia di finanza Michele Adinolfi, è molto diversa da quella dello sbarazzino ex boyscout che appena tre anni fa si conquistò la fiducia del popolo del Pd, all'insegna del rinnovamento e della rottamazione. E, di riflesso, cambia quello che un tempo si chiamava «Giglio magico», e che oggi non ha più nulla del candore floreale: pagina dopo pagina, vediamo all'opera i suoi scagnozzi pronti a qualsiasi cosa, che trafficano e manovrano dappertutto, specie nel mondo dei servizi segreti, delle banche e dei soldi. Cioè di quei poteri forti che la propaganda renziana tenta ancora di dipingere ostili ed estranei.

Dicevamo dei conti e delle cambiali da pagare: il più delle volte tocca saldarli allo Stato, cioè a noi cittadini e contribuenti. E non solo in termini economici. Distribuendo poltrone, incarichi e stipendi d'oro agli amici più fedeli, e appalti ai finanziatori più fidati e munifici, Renzi sistema nei ruoli chiave troppe figure prive di meriti e di competenze. A cominciare dal suo governo. Può un allenatore di calcio femminile diventare sottosegretario alla Presidenza del Consiglio con deleghe importanti, come l'Editoria e i Servizi di sicurezza? Luca Lotti ci è riuscito. Può un ex comandante dei vigili urbani fare il capo dell'Ufficio legislativo di Palazzo Chigi? Antonella Manzione ci è riuscita. Può un'avvocaticchia di provincia mettere le mani sulla Costituzione, riscrivendone 47 articoli su 139 insieme a un vecchio arnese del berlusconismo con una condanna per corruzione in primo grado e sei rinvii a giudizio per reati gravissimi? Maria Elena Boschi ci è riuscita, in tandem con Denis Verdini.

È impressionante notare, leggendo questo libro, l'abisso che separa le parole dai fatti, le promesse dalla realtà. Dicevo delle intercettazioni Renzi-Adinolfi. È il 6 gennaio 2014. Quel mattino l'allora neosegretario del Pd assicura il suo amorevole sostegno al governo di Enrico Letta e spergiura via Twitter e in televisione che mai e poi mai lo farà cadere («senza passare per le urne», poi, sarebbe una bestemmia): anzi, vuole ricandidarsi a sindaco di Firenze di lì a un mese. Nelle stesse ore, al telefono con l'amico generale, confida la sua precisa intenzione di scalzare il premier in carica perché «Enrico non è proprio in grado, non ce la fa».

Spietato con gli avversari, ammesso e non concesso che il mite Enrico – premier del Pd, cioè del suo stesso partito – lo sia, Renzi è addirittura feroce con gli amici che l'hanno sostenuto e aiutato, ma che via via cadono in disgrazia perché lui stesso ha deciso di liberarsene dopo averli usati: li annienta senz'alcuna esitazione o riconoscenza, anche usando contro di loro le indagini della magistratura, salvo poi andare in parlamento a strillare contro «venticinque anni di barbarie giustizialista».

È il caso di Graziano Cioni, il popolarissimo assessore fiorentino che finisce indagato, processato e poi assolto dopo molti anni nel processo Ligresti-Castello: Cioni viene minacciato (per usare un eufemismo), su una vicenda di vita privata che Vecchi racconta per la prima volta in questo libro, per essere indotto a ritirarsi dalla corsa a Palazzo Vecchio.

È il caso dell'assessore Massimo Mattei, che per dieci anni è stato la spalla di Renzi e che non è neppure indagato per lo scandalo delle escort: ma ci viene infilato a viva forza e costretto a eclissarsi per non fare ombra al capo. Per ulteriori informazioni rivolgersi a un altro ex fedelissimo, l'emiliano Matteo Richetti, passato rapidamente dal Giglio magico al cono d'ombra con la scusa dell'indagine a Bologna sulle spese pazze in Regione che lo coinvolge per pochi spiccioli, da cui verrà poi prosciolto: Renzi lo fa ritirare dalla corsa a governatore dell'Emilia-Romagna per non dar fastidio al suo uomo forte, Stefano Bonaccini, e pazienza se in quel momento è anche lui indagato nella stessa inchiesta (sarà poi archiviato). Come diceva Giovanni Giolitti, le leggi per i nemici (o i meno-amici) si applicano e per gli amici (o i più-amici) si interpretano.

E quando non è un provvidenziale intervento dei magistrati a fornirgli un appiglio e a levargli le castagne dal fuoco, ci pensa Renzi da sé, facendo leva sulla fiducia e sulla confidenza di persone che lo credono amico. Ne sa qualcosa Eugenio Giani, altro fedelissimo e aspirante sindaco di Firenze, costretto con finte promesse poi tradite a non sfidare il delfino Dario Nardella, come se la poltrona di primo cittadino fosse una carica ereditaria, da passare a chi decide il sovrano.

Questo libro descrive con fatti e testimonianze dirette di molti protagonisti il vero volto del Renzi premier. Un uomo cinico, politicamente ricattato e ricattabile, chiuso in se stesso e nel suo bunker come i leader a fine carriera, circondato da pochi *yesmen* che gli danno sempre ragione, disposto a tutto, anche a mentire e a sacrificare chiunque e qualunque cosa al suo potere: tranne gli adepti più stretti. Come Maria Elena Boschi, investita da un gigantesco conflitto di interessi dopo che suo padre è stato indagato per bancarotta fraudolenta nel crac di Banca Etruria, ma difesa a oltranza, anche a dispetto dell'evidenza e della decenza, anche a costo di negare la realtà, anzi di plasmarla a suo favore. O come Marco Carrai, custode dei suoi segreti più intimi fin da quando gli mise a disposizione gratuitamente un pied-à-terre nel centro di Firenze negli anni della sindacatura: finito in un intrico di rapporti opachi con personaggi legati ai servizi israeliani e americani e di società estere difficilmente tracciabili, viene continuamente annunciato come responsabile o «consulente» del premier per la cyber security nazionale, anche a costo di un duro braccio di ferro con il presidente Sergio Mattarella e con l'ambasciata Usa.

Chi invece è fuori dal cosiddetto Giglio magico viene sacrificato per molto meno, com'è accaduto alla ministra Federica Guidi, prima fortemente voluta per compiacere la lobby energetica e confindustriale e poi scaricata in pochi minuti per aver avvertito il fidanzato-faccendiere di un emendamento pro-petrolieri che di lì a poco sarebbe stato un atto ufficiale. E che lo stesso Renzi ha rivendicato come cosa buona e giusta e, soprattutto, come «roba mia». Nessuno, tra gli applausi e i peana di regime al primo-governo-che-fa-dimettere-i-ministri (falso: se n'erano dimessi di più dal governo Letta), ha notato la vera lezione del caso Guidi. Che poi è la vera filosofia del renzismo trionfante: la ministra non è stata cacciata per quello che ha fatto, ma perché si è fatta beccare.

MATTEO RENZI
IL PREZZO DEL POTERE

A chi vede in ogni passo un traguardo
e in ogni traguardo solo una partenza

Nota dell'autore

La ricostruzione delle settimane in cui Renzi ha «conquistato» la poltrona di premier facendo cadere il governo di Enrico Letta è frutto di interviste e rivelazioni di fonti qualificate di Palazzo Chigi e del Quirinale che hanno preso parte agli incontri, ne sono state testimoni dirette o indirette e hanno chiesto la garanzia dell'anonimato. In particolare per quanto riguarda i dialoghi tra l'allora capo dello Stato Giorgio Napolitano, il segretario del Pd Matteo Renzi e il presidente del Consiglio Enrico Letta.

Le intercettazioni pubblicate in questo libro tra il generale della Guardia di finanza Michele Adinolfi, il premier Matteo Renzi, il sottosegretario Luca Lotti, l'ex parlamentare, e oggi sindaco di Firenze, Dario Nardella, oltre ad alcuni altri generali delle forze armate, sono state svolte nel corso dell'inchiesta sulla metanizzazione dell'isola di Ischia da parte della Procura di Napoli. A condurre le indagini è stato Sergio De Caprio, il Capitano Ultimo, noto per aver arrestato Totò Riina. Quelle stesse indagini sono state poi interrotte e De Caprio è stato rimosso dal suo incarico. Le intercettazioni sono state ritenute irrilevanti ai fini penali ma sono fondamentali: accendono un faro sulla gestione del potere nel nostro paese. Una luce flebile, leggerissima. E proprio per questo preziosa: cosa accadrebbe se illuminasse a giorno – come avviene nelle democrazie avanzate dove la trasparenza su chi gestisce la cosa pubblica è assoluta e garantita ai cittadini – quella zona grigia che circonda i Palazzi renziani?

Questo libro

Questa è la storia del prezzo che Matteo Renzi ha dovuto pagare per sedersi a Palazzo Chigi. Una storia in ombra che per la prima volta viene svelata grazie a intercettazioni, inchieste e documenti inediti, alcuni dei quali sono pubblicati in appendice.

È la storia delle manovre di Palazzo ordite anche grazie alla complicità di imbarazzanti avversari politici poi lautamente ricompensati.

È la storia degli intrighi, dei sotterfugi, delle strategie politiche attuate dal premier. La storia di incarichi, poltrone, appalti che ha distribuito in poco più di due anni di governo all'insegna di un incessante *do ut des*.

È la storia di personaggi a lui fedeli e quindi premiati, a partire da Luca Lotti, passato da allenatore della squadra di calcio femminile di Montelupo Fiorentino a potente sottosegretario della Presidenza del Consiglio con delega all'Editoria, il ruolo giusto per tenere a bada i giornali e tutta l'informazione.

È la storia degli uomini eliminati perché d'intralcio, dall'aspirante sindaco di Firenze Graziano Cioni, costretto a ritirarsi dalle primarie del capoluogo toscano per uno stato di famiglia che avrebbe dovuto rimanere segreto ma che stranamente viene fatto pervenire alla moglie nelle ore cruciali della campagna elettorale, fino a Massimo Mattei, l'assessore nonché *spin doctor* di Renzi poi diventato «superfluo» ed escluso dall'entourage del premier in seguito a un'inchiesta della magistratura sulle escort a Palazzo Vecchio in cui non è mai stato indagato.

È la storia dei ricatti, del Renzi privato che smentisce sistematicamente il Renzi pubblico. Basti citare l'episodio in cui, all'inizio di gennaio del 2014, poche settimane prima di far cadere l'esecutivo di Enrico Letta, il «rottamatore» proclama a tutto il paese l'intenzione di ricandidarsi come primo cittadino a Firenze nascondendo la sua reale aspirazione: la presa del governo senza passare dalle urne. In un colloquio telefonico col generale della Guardia di finanza Michele Adinolfi, Renzi spiega le mosse in atto per dare lo sfratto all'allora inquilino di Palazzo Chigi coinvolgendo anche l'ex capo dello Stato, Giorgio Napolitano. Ma non sa di essere intercettato. Di quella conversazione privata pubblichiamo alcuni passaggi esclusivi e rivelatori.

Questo libro mostra tutta la spregiudicatezza di un premier che lotta senza tregua per rimanere in sella al governo, e dei suoi più stretti e fidati collaboratori, come il ministro per le Riforme costituzionali e i Rapporti con il parlamento Maria Elena Boschi, che cerca i voti perfino dei leghisti quando deve scalzare la mozione di sfiducia ricevuta a causa del padre, indagato per bancarotta fraudolenta dopo il fallimento della Banca popolare dell'Etruria e del Lazio.

Alla corte del «capo» sono ammessi tutti purché siano utili allo scopo: conservare il potere. Ciascuno ha un prezzo. Renzi lo conosce ed è sempre pronto a pagarlo.

La conquista del potere

L'assalto a Roma

Lunedì 6 gennaio 2014 Matteo Renzi varca l'ingresso dell'hotel Bernini Bristol, nel cuore della capitale.

Arriva a Roma con un solo obiettivo: prendersi il governo. Una poltrona desiderata da tempo, un percorso pianificato nei minimi dettagli. Almeno fin dal 2011, quando aveva avuto «l'impressione che l'Italia fosse un paese aperto, disponibile, pronto: scalabile», come dirà lui stesso alla Leopolda, teatro dei meeting del popolo renziano, il 24 ottobre di tre anni dopo, a missione compiuta.

Questo traguardo lo aveva assaporato già nel dicembre del 2012, salvo poi vederlo sfumare alle urne delle primarie contro Pier Luigi Bersani; e poi di nuovo nell'aprile del 2013, prima che Giorgio Napolitano scegliesse di affidare Palazzo Chigi a Enrico Letta. Una doppia sconfitta che Renzi non riuscirà mai ad accettare e che farà scattare in lui un impulso che i suoi più fidati e stretti collaboratori fiorentini conoscono bene: l'ossessione del potere. Da legittima aspirazione politica, l'ascesa verso il soglio governativo si trasforma per Renzi in rivalsa personale: conquistare il potere per vedere assieparsi all'ingresso della sua corte chi non l'ha sostenuto o, addirittura, chi si è permesso di criticarlo. E ancora, secondo un canovaccio ben collaudato e più volte andato in scena a Firenze, premiare i devoti ed eliminare chi nutre il benché minimo dubbio nei confronti del capo.

Il 6 gennaio 2014, dunque, Renzi arriva a Roma. Ufficialmente si presenta nella capitale nelle vesti di leader del Partito democratico impegnato a mediare con le altre forze politiche per realizzare una nuova, indispensabile legge elettorale. In realtà la riforma è solo l'alibi, il sipario dietro il quale nascondere le manovre di Palazzo per indebolire e poi eliminare l'ultimo ostacolo che si frappone alla meta: Enrico Letta.

Il premier in carica è stato messo al corrente della volontà di Renzi. Poco prima di Natale l'amico nonché ministro per i Rapporti con il parlamento Dario Franceschini ha fatto da messaggero tra il nuovo capo del Pd e Palazzo Chigi riportando, come fossero confidenze dal fronte, i «forti dubbi» espressi dal sindaco sull'esecutivo. «Ma te ne parlerà sicuramente lui, vedrai» lo ha rassicurato il futuro ministro dei Beni culturali, che non ha fatto mistero delle sue opinioni e al premier lo ha detto chiaramente: «Renzi vince, prima o poi, è inarrestabile, e quindi bisogna semplicemente stare con lui, punto».

A fine anno è stato Letta a contattare il neosegretario del Pd. Per gli auguri di rito e per dirsi disponibile a rivedere, se lo ritiene necessario, ora che ha conquistato con le primarie la guida del Pd, la compagine governativa. Il primo cittadino si è mostrato affabile e ha lasciato cadere nel nulla anche la proposta di rimpasto. «Figurati, Enrico, vai avanti così e poi semmai ne parleremo.» Letta si fida. Conosce la politica, gli effetti nefasti che il potere genera in chi lo brama, ma crede alle parole del segretario. E conosce i tempi dilatati dei Palazzi romani. Ma sbaglia, perché Renzi ha fretta, quella fretta dettata dal desiderio atteso e troppo a lungo rimandato.

Il premier è volato in Croazia per trascorrere qualche giorno di riposo con la famiglia, Renzi si è chiuso in casa a Rignano sull'Arno per preparare la sua prima segreteria nazionale del Pd, convocata a Firenze, a ribadire simbolicamente la personificazione del partito, e fissata per il 4 gennaio. Questa la data scelta per avviare l'offensiva. Il piano di battaglia, invece, è stato anticipato al 2 gennaio, attraverso la consueta enews diffusa sul sito internet personale, amplificata dalle agenzie di stampa e rilanciata dai quotidiani online e cartacei, felici di poter riempire pagine impoverite dalla consueta carenza di notizie del periodo natalizio. Pochi osservatori riconoscono nei contenuti di quella enews i primi tratti del «nuovo *caudillo*», come lo definirà poi l'ex direttore del «Corriere della Sera» Ferruccio de Bortoli. Si tratta di una lettera siglata da un segretario di partito, ma dai contenuti chiaramente governativi: quando fare le leggi, quali fare, come farle e con chi. Una sorta di guida per l'esecutivo.

Scrive il sindaco di Firenze: «Penso che sia inutile aspettare le stanche liturgie di sempre, i tavoli, le riunioni di coalizione. Credo sia maturo il tempo di lanciare in modo chiaro e trasparente le nostre proposte perché le altre forze politiche ci dicano la loro. Qualcuno mi ha detto: "Scusa Matteo, ti abbiamo votato l'8 dicembre e non hai ancora abolito il Senato e nemmeno hai cambiato la legge elettorale"». Come se la decisione non dipendesse dal parlamento eletto dal popolo ma da un segretario di partito. Del resto è uno degli strumenti ormai noti della comunicazione renziana: quel «populismo dall'alto», come l'ha definito lo storico Marco Revelli, che nasconde dietro a un generico «mandato della gente», seppur mai ricevuto, la personificazione del potere e l'alibi per agire autonomamente al di fuori dei consueti canali democratici e rappresentativi.

L'uomo solo al comando ha iniziato a mostrarsi. Pochi se ne accorgono.

Parte l'offensiva a Letta

Renzi si vende come una sorta di supereroe e si lamenta di non essere ancora riuscito ad abolire il Senato e a cambiare la legge elettorale in appena quattro settimane da quando è alla guida del partito. Peccato che non esista in nessun paese democratico la possibilità di cancellare un ramo del parlamento in neanche un mese. Ma Renzi sfida la logica e sfrutta il populismo. Così prosegue: «Hanno ragione loro. Perché il mandato delle primarie dell'8 dicembre è fortissimo e non accetta compromessi: subito una legge elettorale seria, riforma della politica con tagli per un miliardo di euro, provvedimenti immediati sul lavoro perché torni un briciolo di speranza nel futuro dell'Italia». Punti poi totalmente disattesi. Come l'annunciato «capitolo diritti civili» che avrebbe dovuto contenere: le modifiche alla Bossi-Fini, le unioni civili per persone dello stesso sesso, la legge sulla coo-perazione internazionale, i provvedimenti per le famiglie e una disciplina più efficace delle adozioni. Nulla di questo è stato poi realizzato, o comunque non nei termini allora presentati.

Quel 2 gennaio tutto suona bene: il segretario del Pd può vendersi la pelle dell'orso, tanto mica deve ammazzarlo lui. Il compito spetta a Letta ma ovviamente Renzi si guarda bene dal dirlo. Non scorda invece di indicare il termine dell'ultimatum: «Non possiamo perdere neanche un secondo, la legge elettorale va fatta entro febbraio».

Il presidente del Consiglio non cade nella trappola, preferisce lasciar correre, evitando battibecchi sterili e controproducenti, anche se qualcuno gli suggerisce di sfidarlo: «Digli subito che se vuole la tua poltrona gliela lasci volentieri. Non serve entrare nel merito ma rimanda la palla nel suo campo e costringilo a una presa di posizione chiara». Letta non condivide il sugge-rimento e si attiene a un profilo consono al ruolo che ricopre, così plaude alle parole del rivale inquadrandole come «buone iniziative», poi fa trapelare di avere già in agenda numerosi incontri bilaterali con i leader degli altri partiti per definire in tempi brevissimi quello che chiama il «patto di governo». In altre parole non cede al diktat renziano ma lo asseconda, con-vinto che sia la strada migliore, e ostenta serenità.

Però decide di rientrare subito dalla Croazia: il 3 gennaio è a Roma. Ad accoglierlo trova un'ottima novità, decisamente insperata: il calo dello spread sotto i 200 punti, dopo due anni e mezzo di montagne russe. «È una grande notizia, frutto di un grande lavoro e del sacrificio degli italiani» commenta giusta-mente soddisfatto. Ma l'euforia dura poco.

La mattina successiva si apre la segreteria del Pd a Firenze e Renzi gela il capo dell'esecutivo: «Per il calo dello spread bisogna ringraziare non solo i governi succedutisi ma soprattutto un italiano che ha lavorato nell'interesse dell'Europa: Mario Draghi. È suo il merito fondamentale». Letta, dunque, ha poco da gioire.

Non basta. Da Firenze arrivano i primi chiari preavvisi di licenziamento all'esecutivo. Apre le danze la fedelissima renziana – dopo essere stata fervente veltroniana e devota bersaniana –, presidente del Friuli e soprattutto vicepresidente del Pd, Debora Serracchiani: «Nessuno sta lavorando per una crisi di governo, ma per un'agenda forte al governo perché faccia le cose».

Poi è lo stesso Renzi ad assegnare i compiti al premier: «Adesso legge elettorale, quindi tagli alla politica poi Jobs Act per creare lavoro, è la volta buona» sintetizza su Twitter. Dopodiché sibila: «Nessuno sta mettendo in discussione l'esistenza del governo, anzi: mette in difficoltà il governo chi lo vuole far stare fermo. Lo aiuta chi lo sprona a risolvere i problemi italiani».

Dalla segreteria convocata a Firenze emerge con evidenza un altro tratto distintivo dell'era Renzi: la sua gestione autoritaria del partito. Che lascia a terra la prima vittima. Qui, infatti, si consuma lo scontro che porterà Stefano Fassina a dimettersi da viceministro dell'Economia e, un anno dopo, a lasciare il Pd; un'aspra diatriba sulla possibilità di rimettere mano agli incarichi e far entrare a Palazzo Chigi alcuni uomini del segretario. Fa parte della dialettica parlamentare e democratica e Letta si dice pienamente disponibile. Ma Renzi, invece di ringraziare, alza il muro e lo trasforma in pretesto per attuare una prova di forza.

Durante la segreteria il vice di Fabrizio Saccomanni in via XX Settembre ribadisce come sia necessario plasmare la compagine governativa inserendo uomini del nuovo corso renziano del Pd. Ma quando al termine dei lavori i cronisti chiedono a Renzi cosa pensi del rimpasto proposto dal viceministro, sentendo il nome «Fassina» lui li blocca e commenta ironico: «Chi?».

Il 5 gennaio, però, i toni si placano: Pier Luigi Bersani viene ricoverato d'urgenza per un'emorragia cerebrale all'ospedale Maggiore di Parma e sottoposto a un complesso intervento chirurgico di oltre tre ore. Per il momento nel Pd è tregua armata. Ma dura poco. Il tempo di un Frecciarossa da Firenze a Roma. Il giorno successivo, infatti, Renzi si sposta in piazza Barberini, all'hotel Bernini Bristol di proprietà del senatore di Forza Italia Bernabò Bocca. Mentre la politica tutta è in apprensione per lo stato di salute dell'ex segretario, lui si affretta a occuparsi dell'altro leader ancora da spodestare: il premier. E riprende la strategia: «Non faccio le scarpe a Letta, mi ricandido sindaco».

Il giorno dell'Epifania la camera al terzo piano del Bernini è un gabinetto di guerra. Sono i giorni decisivi per l'assedio finale, accesso consentito solo al fedelissimo Luca Lotti. I due pianificano gli incontri, valutano le posizioni. Un filo costante e diretto è tenuto da Renzi in persona con Denis Verdini, che media, per conto del futuro gran capo, con Silvio Berlusconi. Il compito di vagliare gli umori nel Nuovo centrodestra di fronte a un possibile esecutivo del sindaco è affidato invece a Maurizio Lupi che, cresciuto in Comunione e liberazione nel feudo lombardo di Roberto Formigoni, conosce alla perfezione i rituali degli equilibrismi politici.

L'8 gennaio arrivano le prime rassicurazioni ufficiose da entrambi i fronti. Ma il segretario del Pd sa che non può fidarsi, così invita tutti a ufficializzare la propria posizione usando lo schermo della riforma elettorale: il sì al dialogo giunge puntuale.

Il giorno seguente, passate da poco le dieci del mattino, Renzi chiede a Franceschini di riferire a Letta la sua intenzione di incontrarlo l'indomani a Palazzo Chigi. Poi riprende il Frecciarossa e torna a Firenze. Non per gestire la città: il ruolo di primo cittadino è dimenticato, quelli sono abiti ormai stretti che hanno reso il servizio che dovevano e sono diventati inutili. Invece che a Palazzo Vecchio si presenta con la moglie Agnese all'inaugurazione del nuovo negozio di Prada, a due passi dal Duomo; poi si trasferisce alla ex stazione Leopolda per assistere a una sfilata di moda, seduto in prima fila accanto al patron della Diesel, Renzo Rosso. Infine si concede alle telecamere. Per smentire la sua corsa a Palazzo Chigi, ormai evidente a tutti gli osservatori, ribadisce e ufficializza la sua candidatura a sindaco di Firenze per le amministrative della primavera successiva. Poi, senza neanche affacciarsi in Comune, torna nella capitale.

Intanto il «messo» Franceschini porta a termine l'incarico romano. Enrico Letta si indispettisce per i metodi: «Poteva chiamarmi lui. Comunica a Matteo di cercarmi e vediamo quando posso riceverlo prima possibile». In serata arriva la convocazione: la mattina seguente alle otto a Palazzo Chigi.

L'incontro con il premier

L'incontro dura poco più di un'ora. Gli staff di entrambi riferiranno che il confronto è stato costruttivo, che non si è parlato di far cadere il governo né tantomeno di cambiare qualche ministro. I due hanno semplicemente stabilito una sorta di cronoprogramma per accelerare sulle riforme.

In privato Renzi rassicura senza sosta Letta: grandi pacche sulle spalle, sorrisi. In pubblico, invece, un affondo dopo l'altro e mai un atteggiamento positivo. E quando il premier lo invita ad assumersi la responsabilità delle proprie dichiarazioni, il sindaco cade dalle nuvole, fa il vago e attribuisce la colpa a giornali e tv che, dice, «ingigantiscono sempre per montare un servizio, una notizia».

Poi passa alle lusinghe. Gli ripete che sarebbe perfetto come capo dello Stato ma che è troppo giovane. Letta infatti va per i quarantotto anni, dovrebbe aspettarne due e mezzo per il compimento dei cinquanta, soglia minima per il Colle. E quando il presidente del Consiglio gli chiede chiarezza sulla sua volontà di guidare l'esecutivo, Renzi tentenna, scherza e dice che senza di lui non potrebbe mai fare nulla: «Saresti indispensabile come ministro degli Esteri o dell'Economia» ma, garantisce, «non è mia intenzione sostituirti: è un momento complicatissimo da gestire, io non sarei in grado».

L'unica cosa che conferma è l'intenzione di fare un rimpasto della compagine governativa. Il sindaco spiega di voler valorizzare e far crescere alcuni dei suoi, Graziano Delrio in particolare. Letta si dice d'accordo, del resto ha lasciato apposta alcune caselle libere.

Sembra tutto chiarito. Eppure, neanche il tempo di uscire da Palazzo Chigi e raggiungere l'albergo che Renzi nega di volere un rimpasto per piazzare qualcuno dei suoi.

Il dialogo tra i due è riportato da alcuni dei presenti all'incontro e da persone vicinissime a entrambi. Lo confermerà lo stesso segretario pochi giorni dopo.

«Letta non è capace»

L'11 gennaio, giorno in cui compie trentanove anni, Matteo Renzi si lascia andare a confidenze e giudizi su Letta mentre è al telefono con il generale della Guardia di finanza Michele Adinolfi. È stato quest'ultimo a chiamarlo per fargli gli auguri. «Mi dicono fonti solitamente ben informate che ti stai avviando anche tu verso una fase di rottamazione. Auguri e complimentoni amico mio, spero di vederti presto» esordisce il generale.

I due sono amici da tempo. Adinolfi è arrivato a Firenze nel 2010 come comandante interregionale delle Fiamme gialle di Toscana ed Emilia-Romagna, e ha legato da subito con Luca Lotti, che tiene per conto del sindaco – di cui è capo gabinetto – i rapporti con le forze dell'ordine. L'amicizia presto si estende al primo cittadino.

Renzi: «La settimana prossima sarà un po' decisiva perché vediamo se riusciamo a chiudere l'accordo sul governo».
Adinolfi: «Rimpastino?».

R: «Rimpastone, non rimpastino! Il problema è capire anche… se mettere qualcuno dei nostri».

A: «È lì il punto! O stare fuori va bene?». […]

R: «Sai, a questo punto c'è prima l'Italia, non c'è niente da fare. Mettersi a discutere per buttare all'aria tutto, secondo me, alla lunga sarebbe meglio per il paese, perché lui [Letta, *nda*] è proprio incapace, il nostro amico. Però…».

A: «Niente, Matteo, non c'è niente, dai, siamo onesti».

R: «Lui non è capace, non è cattivo, non è proprio capace. E quindi… Però l'alternativa è governarlo da fuori».

A: «Secondo me ha il taglio del presidente della Repubblica».

R: «Lui sarebbe perfetto, gliel'ho anche detto ieri».

A: «E allora?».

R: «L'unico problema è che… bisogna aspettare agosto del 2016. Quell'altro [Giorgio Napolitano, *nda*] non ci arriva, capito? Quell'altro non ci arriva, me l'ha già detto. Quell'altro [nel] 2015 vuole andar via. Michele, mi sa che bisogna fare quelli che… che la prendono nel culo personalmente. Poi vediamo, magari mettiamo qualcuno di questi ragazzi dentro nella squadra a sminestrare un po' di roba, questo è il concetto». […]

A: «Non ci sono alternative, perché quello, il numero uno, non molla perché non molla, e quindi che fai?».

Il «numero uno» di cui parla Adinolfi è l'ex presidente della Repubblica Giorgio Napolitano, che non vuole una nuova crisi di governo né tantomeno un nuovo esecutivo. Poi cambierà idea. Ma c'è anche un altro ostacolo: al Quirinale non verrà mai accolto Berlusconi, con il quale il sindaco di Firenze, invece, ha già ben delineato l'azione. Il Patto del Nazareno, infatti, deve ancora essere limato e siglato ma l'accordo è già pronto.

A un certo punto della conversazione Renzi dice: «Poi il numero uno ce l'ha a morte con Berlusconi per cui… E Berlusconi invece sarebbe più sensibile a fare un ragionamento diverso. Vediamo, via, mi sembra complicata la vicenda».

La telefonata viene intercettata dalla Procura di Napoli nel corso delle indagini sulla Cpl Concordia, la coop rossa coinvolta nel caso della metanizzazione di Ischia, una storia di mazzette e politica, e accusata di rapporti con la camorra casalese nelle sue attività in Campania. Il generale Michele Adinolfi è indagato per una sospetta fuga di notizie, posizione poi archiviata su richiesta del pm Henry John Woodcock.

Da questo scambio telefonico si capisce come Renzi abbia un piano ben preciso, che presenta però alcune difficoltà. Ne parla con Adinolfi, esprimendo le criticità dovute anche a Napolitano che vuole lasciare il Colle entro il 2015 perché stanco, non si può attendere quindi che Letta lo sostituisca. Se tutto va bene al premier toccherà aspettare la scadenza del mandato del successore di Re Giorgio al Quirinale, prevista per il 2022. Un'era geologica in politica. E il sindaco toscano quali garanzie potrebbe fornire in un arco di tempo così dilatato? Nessuna. Inoltre ha già dimostrato di non rispettare la parola data e sa che adesso Letta non si fiderebbe neanche di un contratto firmato dal notaio. L'unica strada percorribile è agire da solo: puntare il nemico e «asfaltarlo».

Il Giano bifronte

La telefonata con Adinolfi si conclude alle 9.14 della mattina. Renzi non fa in tempo a riagganciare che sferra un nuovo attacco al governo: ospita a pranzo Aldo Cazzullo, a cui affida un'intervista che viene pubblicata il giorno successivo dal «Corriere della Sera». «Governo avanti ma non così» recita il titolo. «Che cosa si è fatto in undici mesi? Enrico non si fida di me, però sbaglia. [...] Compito dei ministri non è dare giudizi, come nei talk show. [...] Forza Italia non si può escludere e Berlusconi è il suo leader. Se serve, lo incontrerò.» Oltre ad annunciare pubblicamente i rapporti con Arcore, di fatto già avviati da tempo e tenuti nascosti, Renzi si concentra sull'esecutivo.

L'argomento è ovviamente sentito: a pochi sfugge lo scontro in corso tra il leader del Pd e il capo del governo. Già alla prima domanda, Cazzullo sintetizza la situazione così: «Il quadro emerso dal suo incontro con Letta è univoco: accordo fatto, nel 2014 si lavora insieme, rimpasto e codice di comportamento. È davvero così? O si rischia ancora una rottura?».

Il segretario non si fa pregare e garantisce: «Non si rischia nessuna rottura». Poi l'affondo. «Ma guardiamo la realtà: la popolarità del governo è ai minimi, non ci sono più le larghe intese, né l'emergenza finanziaria. Se uno mi chiede cosa ho fatto da sindaco in questi undici mesi, so cosa rispondere: piazze, asili, pedonalizzazioni. Se mi chiedono cosa ha fatto il governo in questi undici mesi faccio più fatica a rispondere. Per questo motivo bisogna cambiare passo.»

Ci sono altri passaggi in cui Renzi sembra un altro rispetto alla telefonata con Adinolfi. «Io voglio dare una mano a Enrico. Mi sento legato da un vincolo di lealtà: diamo l'ultima chance alla politica di fare le cose. Le mie ambizioni personali sono meno importanti delle ambizioni del paese: io sono in squadra.» Ancora: «Enrico non si fida di me, ma sbaglia. Io le cose le dico in faccia. E sono le stesse che dico in pubblico: non uso due registri diversi». Figurarsi.

Il premier si trova di nuovo all'estero, dall'altra parte del globo: è in Messico per una visita ufficiale pianificata da tempo. L'intervista di Renzi lo infastidisce ma decide ancora una volta di rispondere a modo suo: «Invece io di Matteo mi fido e sono convinto che ci siano tutte le condizioni per lavorare bene insieme». Questa volta però non riesce a celare il fastidio, seppur aggiunga di essere sicuro che «i problemi del paese vengono prima di quelli personali». Ovviamente il giudizio sull'operato di governo «è diverso» e spiega: «Il cambio di passo siamo noi i primi a chiederlo ed è chiaro che quest'operazione può passare anche attraverso una revisione della squadra di governo» che avverrà «dopo la segreteria» del 16 gennaio.

Ma Letta sa che in quattro giorni Renzi può combinare di tutto, inoltre è cosciente di essere circondato da persone che hanno tradito o sono pronte a farlo. Secondo il premier, persino Franceschini ormai non può più essere messo al corrente di dubbi e riflessioni su come difendersi dall'avanzata del segretario.

Mentre Letta, dal Messico, risponde al sindaco di Firenze, quest'ultimo è già seduto al Colle di fronte a Napolitano. Un colloquio a due di un'ora e un quarto di cui l'ufficio stampa del Quirinale si affretta a spiegare i contenuti: «Uno scambio di idee su prospettive, confronto e iter per la riforma della legge elettorale e per le riforme istituzionali, in attesa della sentenza della Consulta» a proposito del già bocciato Porcellum. Al Colle sanno quanto valore abbiano la forma e il rispetto dei ruoli istituzionali, la nota va letta quindi come un messaggio di rassicurazioni al premier in carica: con il segretario del Pd non sono stati trattati argomenti che rientrano nell'esclusiva responsabilità del capo dello Stato e del presidente del Consiglio.

Renzi invece non vuole dar tregua al nemico. E appena lascia il Quirinale si attacca a Twitter per rispondere all'apertura di Letta riguardo all'ingresso nell'esecutivo di nuovi ministri: «Parlare di rimpasto è roba da Prima repubblica #chenoia. Vi prego: parliamo di #coseconcrete». E pensare, come abbiamo visto, che il primo a parlare privatamente a Letta di rimpasto era stato proprio lui: glielo ha fatto anticipare da Franceschini prima di Natale e poi glielo ha ribadito a inizio gennaio.

La mattina dopo riparte l'offensiva. In occasione della riunione con i senatori del Pd a Palazzo Madama, il segretario boccia nuovamente l'operato dell'esecutivo Letta e per la prima volta ne lascia intravedere la fine: «Non mi interessa mettere una data di scadenza alla legislatura» ma «il governo in questi mesi ha fatto poco. E uso un eufemismo. È lì da undici mesi e cos'ha fatto in questi undici mesi? Se non è stato fatto molto qualche riflessione dobbiamo farcela, smettiamola con le polemiche, nessuno vuole prendere il posto di Letta o metterne in discussione la leadership: tutti vogliamo che il governo faccia le cose che non ha fatto in questi mesi».

Mentre le agenzie di stampa riportano le dichiarazioni del nuovo capo del Pd, il premier, dopo quindici ore di volo per rientrare dal Messico con uno scalo tecnico in New Jersey, raggiunge immediatamente Palazzo Chigi dove trova ad aspettarlo Angelino Alfano. Poi riunisce il comitato delle privatizzazioni con il ministro Saccomanni e infine corre al Colle da Napolitano.

È solo il 15 gennaio. In appena una settimana Letta è all'angolo. Costretto a rincorrere Renzi, non riesce ad anticiparne le mosse né ad arginarle. Non trova una linea difensiva, appare in balia degli scarti improvvisi del segretario. Arriva dopo, quando ormai è tardi e lui è già altrove. Letta è provato, stanco, infastidito più che demoralizzato.

L'incontro con Napolitano dura poco. Fonti ufficiali parlano di una relazione sulla missione appena compiuta e di uno scambio proficuo di idee su un possibile rimpasto, ormai reso necessario non solo dalla politica ma anche dagli scandali: il ministro Nunzia De Girolamo è costretta a lasciare l'incarico a seguito della pubblicazione di un'inchiesta che la coinvolge in merito a delle nomine sospette nella sanità campana. Fonti ufficiose, invece, riportano di un confronto incentrato esclusivamente sugli equilibri dell'esecutivo con l'ipotesi ventilata di un possibile Letta bis. Ed è ancora Napolitano a non voler cedere.

Incassato nuovamente il sostegno del Colle, il premier risponde agli attacchi di Renzi mantenendo il solito profilo istituzionale. «Non ha mai polemizzato con nessuno in quindici anni di carriera politica, figuriamoci se inizia ora» commenta una persona a lui molto vicina.

L'ultima cena

Il 16 gennaio 2014 Renzi annuncia che entro due giorni incontrerà Berlusconi al Nazareno, sede del Partito democratico.

La cronaca di quel faccia a faccia è nota: è ormai evidente che l'urgenza di chiudere sulla legge elettorale sia solo un alibi per trattare con i leader degli altri partiti e ottenere una maggioranza. Talmente evidente che Letta decide di affrontare il sindaco frontalmente. Lo convoca a cena per la sera stessa. «Il tuo attivismo è dovuto esclusivamente alla volontà di fare le riforme in tempi brevi? Bene, parliamone seriamente» gli dice l'allora premier. Quando Renzi raggiunge Palazzo Chigi, trova ad attenderlo mezzo esecutivo: Angelino Alfano, Dario Franceschini e Maurizio Lupi.

«Caro Matteo, dai giornali non è molto chiaro quale modello elettorale tu prediliga quindi potresti provare a farci capire meglio?» gli chiede Letta. Alfano solleva dubbi sull'«interlocutore esterno Berlusconi», senza mezzi termini: «Non credere sia accettabile piegarci ai desiderata di Silvio: da qui non si passa». E Renzi: «Siamo pronti a far saltare il banco e andare a votare con la legge decisa dalla Consulta», quindi un proporzionale puro.

Durante l'incontro trapela che l'attivismo del sindaco al Colle non piace e che Napolitano ha espresso «profondo disappunto e viva contrarietà» per l'incontro che si terrà al Nazareno con Berlusconi.

Il primo cittadino prende tempo. Tranquillizza i suoi commensali. Assicura di agire solo per ottenere risultati nel breve periodo. Risultati, ribattono i presenti, che però dovrebbero essere condivisi: «Noi vogliamo fare le riforme, tu cosa vuoi?».

Letta invita «con estrema cortesia» il sindaco a fare le cose che gli competono, così come dichiarato alla stampa: «Lascia a me le incombenze del governo e tu occupati del Pd», dilaniato dai conflitti interni. Quello stesso giorno, infatti, i bersaniani hanno minacciato di far cadere il governo alla notizia dell'imminente incontro tra il segretario Pd e il leader di Forza Italia.

Renzi ribadisce la sua buona fede, ripete di essere interessato esclusivamente a portare a termine la legge elettorale; chiede a Letta di garantirgli sostegno in questa sua battaglia e gli rinnova il desiderio di fare un rimpasto governativo, per valorizzare alcuni dei suoi, una volta approvato l'Italicum. In particolare – ripete – Graziano Delrio. Il premier acconsente. Nuovamente. E gli dà la sua parola: «Siamo d'accordo – dice

Letta –, lascio le caselle libere e metto il governo in folle fino a quando non chiuderai sulla riforma elettorale, mi dirai poi tu chi nominare». Si salutano con un accordo che è anche una sorta di tregua. O almeno dovrebbe esserlo.

Il giorno dopo Renzi si chiude in un silenzio inusuale, tale da diventare notizia. Ma è solo tattica. Il consueto diluvio verbale arriva in serata, quando appare in tv a *Le invasioni barbariche* su La7. Dal salotto di Daria Bignardi il segretario ribadisce quanto già più volte detto sull'esecutivo criticandone l'immobilismo; poi rassicura il rivale lanciando il noto hashtag #enricostaisereno e aggiunge un elogio: «In politica estera Letta è il più grande in assoluto, lo stimo moltissimo». Un complimento che in realtà è un contentino, come chiaramente confidato all'amico Adinolfi.

Il segretario, dunque, reagisce così al muro trovato la sera prima a Palazzo Chigi: invece di arretrare, ribadisce la sua posizione e torna a offrire al premier la via d'uscita: la Farnesina. Questa volta lo fa pubblicamente, dagli schermi televisivi.

Letta non si piega, non scende a patti: non rientra nel suo stile. Lo confida ai pochi di cui ormai si fida: «Vuole uccidermi? Io non condivido questo modo di far politica quindi non accetto nessun posto e nessun compromesso, se vuole uccidermi lo faccia, ma deve essere chiaro e ben visibile a tutti che mi sta uccidendo».

Il matrimonio con Silvio

A quel punto Letta deve fare i conti anche con un altro spregiudicato che nel frattempo è diventato pure pregiudicato: Silvio Berlusconi.

Il 1° agosto 2013 l'ancora Cavaliere è stato condannato in via definitiva a quattro anni di reclusione per frode fiscale nel cosiddetto processo Mediaset. Il 4 ottobre dello stesso anno la Giunta delle elezioni e delle immunità parlamentari del Senato ha votato a favore della sua decadenza da senatore per effetto della legge Severino; il 19 ottobre è stato raggiunto dalla pena accessoria dell'interdizione dai pubblici uffici per due anni. Berlusconi si ritrova, nei fatti, escluso dalla politica. Costretto ai margini.

E bussa alla porta di Letta. La proposta è chiara: «Se vuoi che continui a sostenere il tuo governo devi proteggermi». Il premier dice no: «Io leggi ad hoc non ne faccio». E a chi si rivolge allora Silvio? A Renzi. Sarà lui, una volta diventato premier, a prenderlo sotto la sua ala protettiva, garantendogli ciò che chiede: azzerare la punibilità della frode fiscale sotto il 3 per cento dell'imposta sul valore aggiunto o dell'imponibile dichiarato. Un regalo per il Cavaliere, inserito – nonostante le poche righe siano infilate all'ultimo minuto utile, alle diciotto del 24 dicembre 2014 – nel decreto attuativo della delega fiscale.

Ricevute le garanzie da Renzi, Berlusconi muove le pedine e fa partire la ritorsione nei confronti dell'esecutivo. Il 16 novembre 2013 decreta la sospensione del Pdl e il rilancio di Forza Italia. La corrente di Angelino Alfano abbandona Arcore e crea il Nuovo centrodestra. Inizialmente sia Fi sia Ncd continuano a sostenere Letta ma dopo appena dieci giorni, il 26 novembre 2013, al Senato il governo pone la fiducia sulla legge di Stabilità inserendo un maxiemendamento e il partito del Cavaliere coglie l'attimo per abbandonare la maggioranza e passare all'opposizione. In un colpo solo l'esecutivo perde il sostegno di 127 parlamentari: 60 a Palazzo Madama e 67 alla Camera dei deputati. In quel momento Berlusconi finisce nelle mani di Renzi.

I due si conoscono dal 2005, presentati da Denis Verdini, amico di vecchia data di Renzi e suo estimatore, tanto che questi prova a convincerlo a passare al Pdl nel 2008 e poi a sostenerlo alle elezione comunali di Firenze, sebbene sia ufficialmente suo avversario. Risultato: alle primarie del Pd per diventare sindaco circa ventimila preferenze arrivano a Renzi proprio dal centrodestra.

Il legame tra Berlusconi e Renzi nel tempo si consolida, con visite ad Arcore più o meno note. Per le politiche del 2012, in un documento dal nome «Rosa tricolore», stilato su richiesta di Berlusconi da Diego Volpe Pasini con il sostegno di Denis Verdini e Marcello Dell'Utri, viene indicato come unico possibile successore del Cavaliere proprio il primo cittadino fiorentino.

Certo, una simpatia difficile da ufficializzare e mostrare, soprattutto per quel centrosinistra che ha trascorso vent'anni a tentare di sconfiggere Berlusconi ritenendolo impresentabile. Ma Renzi non è tipo da lasciarsi affliggere da problemi morali o ideologici e così, come previsto nel documento «Rosa tricolore», la strana alleanza esce allo scoperto: il 18 gennaio 2014, con il Patto del Nazareno. Dopo avergli garantito privatamente protezione, Renzi sdogana pubblicamente l'alleanza con Berlusconi e sancisce definitivamente il sodalizio con lui. Lo recupera, lo mette al centro degli equilibri, marginalizza quelli che hanno lasciato l'esecutivo Letta per non stare con il Cavaliere e costringe tutti a fare i conti con un'agenda politica totalmente diversa e fino al giorno prima impensabile. Chi nel Pd è contrario può serenamente andarsene, dice Renzi, mostrando di essersi dimenticato dei tempi in cui era lui a criticare ogni giorno i vertici del partito.

Ufficialmente l'accordo con Berlusconi è limitato alla legge elettorale. Solo dopo si scoprirà che il Patto del Nazareno, sancito di fronte a una foto esposta nell'ufficio del segretario che ritrae Che Guevara e Fidel Castro intenti a giocare a golf, è un accordo complessivo che garantisce l'equilibrio al futuro governo Renzi in cambio di nomine e provvedimenti legislativi che aiutano il Cavaliere, anche con la giustizia.

Una situazione perfetta per Berlusconi che, costretto a ritirarsi dalla politica, allontanato dal Palazzo con ignominia, tra il giubilo in particolare degli storici avversari dem, grazie a Renzi si ritrova ora non solo al tavolo d'onore per decidere le sorti del governo ma persino con in mano il potere di concorrere a stabilire quali leggi fare, come e con quale priorità. Lo sdoganamento, la riabilitazione, è sotto gli occhi di tutti, evidente. E avviene. Nonostante la contrarietà interna del Pd, non ancora completamente «renzianizzato», e le proteste dei cittadini che costringono Berlusconi a fare il suo ingresso al Nazareno dall'entrata posteriore.

Ma per Renzi va tutto bene: «Nessuno sdoganamento, è uno dei leader dei partiti con cui parlo e parlerò per portare a casa il prima possibile la legge elettorale sulla quale con Berlusconi ho trovato profonda sintonia». E così nasce l'Italicum. Tenuto a battesimo dal pregiudicato Silvio e dallo spregiudicato Matteo.

Solo il giorno dopo aver riabilitato Berlusconi, Renzi va a fare visita a Pier Luigi Bersani, ancora ricoverato all'ospedale Maggiore di Parma. Un tempismo in cui molti leggono l'apice del suo cinismo.

Oltre a quella di Berlusconi, il patto del Nazareno è un contratto che sancisce la fedeltà assoluta anche da parte di Denis Verdini. Quest'ultimo è il vero burattinaio dell'accordo e, si scoprirà dopo, servirà a Renzi per scavalcare il vecchio padrone Silvio e sostituirsi a lui nel precario equilibrio delle alleanze governative diventando determinante per il proprio esecutivo.

La nuova maggioranza

L'assenso alla manovra del segretario del Pd arriverà anche da Alfano e da Mario Mauro dei Popolari.

Il 20 gennaio 2015 Renzi potrà blindare la sua maggioranza, l'alibi sarà sempre la riforma elettorale. Il segretario si presenterà alla direzione del Pd con l'Italicum sostenuto più dai partiti esterni che dai deputati dem e supererà il passaggio con 111 voti a favore e 34 astenuti, blindando così anche l'iter in parlamento e silenziando la minoranza interna. E minaccerà: «Non è una riforma *à la carte*, chi pensasse di intervenire a modificare qualcosa manda all'aria tutto». Ancora: «Con l'Italicum il Pd si gioca il governo».

La riforma viene bollata come l'anticamera di una dittatura. Prevede una concentrazione del potere nelle mani del premier, che in questo modo avrà il controllo del partito, del governo e del parlamento. Renzi ovviamente se ne frega delle critiche dei costituzionalisti. E prosegue a testa bassa. Difende a spada tratta l'intesa con Berlusconi. «Con chi dovevo discutere, con Dudù?» ironizza. «Il Cavaliere è legittimato non da noi ma dal voto di milioni di italiani. Io non sono subalterno a lui, non ne ho paura al punto da cambiare le mie idee se sono le sue.» Un riconoscimento che suona come musica alle orecchie del Cavaliere, che subito ricambia: «Il leader Pd ha rappresentato in modo chiaro e corretto il contenuto della nostra intesa che offriamo con convinzione al parlamento e al paese».

Il gioco tra i due è ormai evidente. Il primo a riuscire a leggere correttamente nel futuro è Giovanni Sartori. Dice il 21 gennaio il politologo negli studi di *Agorà*, su Rai3: «La riforma disegnata da Renzi e Berlusconi la chiamerei "Pastrocchium". È tutta sbagliata. È una legge elettorale assurda, controproducente e che non rimedia a nessun problema, ma probabilmente aggrava quelli che già ci sono». E ancora: «Questo accordo è un espediente per Renzi per diventare presidente del Consiglio, e per Berlusconi per rimettersi in gioco».

Il 23 gennaio prosegue lo stillicidio. Renzi torna ancora all'attacco: «Letta stia a Palazzo Chigi ma al governo si dia sprint». Letta ribatte: «Taccio a bordate? Mio ruolo è fare; io e Renzi siamo molto diversi ma no diatribe». E così ogni giorno.

Nel frattempo il sindaco di Firenze è ormai in pianta stabile nella capitale. Ha lasciato l'hotel Bernini Bristol di piazza Barberini perché noto a tutti e si è trasferito al grand hotel St. Regis, in via Vittorio Emanuele Orlando, l'albergo delle star, con una suite da ventimila euro a notte nella quale hanno dormito tra gli altri i Rolling Stones. Da qui parte all'assalto finale.

Il 27 gennaio incontra prima Verdini e poi Alfano. Ogni giorno si riunisce con i suoi generali, capitanati da Luca Lotti e spesso da Simona Bonafè, per pianificare le azioni. Il 30 gennaio annuncia che il testo dell'Italicum arriverà in Senato il 15 febbraio e dovrà passare in prima battuta. La speranza è quella di far cadere Letta in aula ma l'esecutivo non arriverà a quella data: il premier si dimetterà un giorno prima, il 14 febbraio.

Barricato a Palazzo Chigi, il presidente del Consiglio finge che Renzi non esista. Mantiene la linea scelta sin dall'inizio: «Mi uccida pubblicamente, io non la butto in rissa, non lo seguo sul suo terreno; vuole la mia testa? La prenda ma devono vederlo tutti, a tutti deve essere chiaro».

Come sempre il sindaco manda avanti qualcun altro. Lo schema è il solito, da prima della candidatura alla presidenza della Provincia di Firenze: uno o più dei suoi fedelissimi rilasciano dichiarazioni in cui anticipano il volere del gran capo.

Questa volta tocca proprio a Simona Bonafè, fidatissima della prima ora, tanto da essere una delle poche ad aver firmato nel 2007 la costituzione della prima cassaforte renziana per la raccolta fondi: la Noi Link. Il 5 febbraio 2014 Bonafè detta alle agenzie: «La staffetta con Renzi non esiste». Infatti nessuno ne ha parlato.

Due giorni dopo arriva l'anonimo e ancora sconosciuto «comunicatore» Francesco Nicodemo: «Matteo a Palazzo Chigi? Solo per via elettorale». A seguire molti altri. Ma parla anche lui, Renzi: «A me conviene il voto ma all'Italia no». È un susseguirsi infinito di dichiarazioni.

L'8 febbraio si affaccia anche Letta, che comunica di avere in programma per l'11 del mese una consultazione con il capo dello Stato per «sbloccare la situazione politica italiana». Renzi mostra per l'ennesima volta il suo profilo istituzionale, commentando: «Era ora». E nel dubbio che venga mal interpretato aggiunge di essere fermamente contrario al rimpasto.

Letta quasi ne sorride. Sa di avere una sola via d'uscita: dimettersi. La violenza mediatica e verbale scatenata dal sindaco e dai suoi uomini è tale da non poter essere ignorata. Moltissime inoltre le pressioni. Persino gli industriali, capitanati da Giorgio Squinzi, bocciano pubblicamente il governo. Mentre «la Repubblica» di Carlo De Benedetti lancia una campagna di terrore contro «l'avanzata del Movimento 5 Stelle» concludendo che l'unico a «poter fermare il populista» Beppe Grillo è ovviamente Renzi, il populista. Insomma l'aria per l'esecutivo Letta è decisamente pesante.

Il giorno dopo, il balletto di dichiarazioni si alterna tra il primo cittadino e la fidatissima Maria Elena Boschi. Lui: «Se vogliono un altro governo basta dirlo». Lei a stretto giro: «L'augurio è Renzi premier ma con voto popolare». Di nuovo lui: «Al governo senza voti? Chi ce lo fa fare». Il giorno dopo di nuovo. Inizia Renzi: «Mai chiesto di prendere il governo, la mossa spetta a Letta».

Probabilmente stanco del diluvio verbale, Napolitano fa convocare al Quirinale il sindaco. Il capo dello Stato gli chiede cosa abbia intenzione di fare, cosa voglia. Lui lo dice. A modo suo. Napolitano ascolta e lo congeda. Il giorno successivo, l'11 febbraio, riceve Letta. All'inquilino del Colle il premier ribadisce la sua disponibilità a lasciare Palazzo Chigi, con l'evidenza che a cacciarlo sia di fatto lo spregiudicato segretario attraverso le sue manovre di Palazzo.

Napolitano gli chiede quasi una cortesia, una preghiera, che ha già imposto come condizione al rivale: che diventi ministro nell'ormai prossimo esecutivo Renzi. Ministro degli Esteri, se vuole, anche se personalmente preferirebbe vederlo all'Economia. Letta risponde: «No grazie, io non voglio un posto, non cerco una poltrona». E saluta. A fine pomeriggio il capo dello Stato comunica che al termine dei colloqui ritiene che non sia necessario andare «a elezioni, serve stabilità».

La resa dei conti

Il 12 febbraio 2014, a Palazzo Chigi, Letta riceve Renzi. «Io da te voglio chiarezza, vuoi il mio posto? Bene, è tuo, accomodati, ma prenditelo alla 'uce del sole» intima il premier, che poi gira i tacchi e va a illus.rare in conferenza stampa i punti principali del «patto di coalizione Impegno Italia» da proporre ai partiti di maggioranza per rilanciare l'azione dell'esecutivo. Sa benissimo che il suo governo non ha alcun futuro ma, appunto, vuole mostrarsi vivo davanti al nemico, un modo per intervenire al duello e dire: «Io ci sono, aspetto che anche tu abbia il coraggio di presentarti davanti a tutti». Renzi non si fa pregare e lo accontenta il giorno successivo, ma anche in questo caso non agisce direttamente e si fa schermo del Pd.

Il 13 febbraio la direzione nazionale del Partito democratico approva con 136 sì (16 no e 2 astenuti) una mozione proposta dal segretario in cui si chiedono le dimissioni di Letta e la formazione di un nuovo governo. La stessa direzione approva la nascita di un nuovo esecutivo guidato da Renzi. E così il sindaco di Firenze mette all'angolo anche Napolitano: l'incarico di formare un nuovo esecutivo il capo dello Stato deve darlo a lui.

Il fatto che un partito (che fra l'altro si autodefinisce democratico) si comporti come un soviet e sfiduci un capo di governo è ovviamente una notizia. La mattina del 14 febbraio è perciò su tutti i quotidiani del mondo. Il «New York Times» in prima pagina definisce quanto accaduto «un ammutinamento» e nel servizio politico interno spiega che il partito si è rivoltato contro Letta costringendolo di fatto alle dimissioni. Il «Financial Times» sintetizza: «Il premier italiano licenziato nella lotta dei Dem». Lo spagnolo «El País» scrive: «Le dimissioni del primo ministro si aggiungono all'instabilità in Italia» e così «si inaugura un nuovo periodo di incertezza» per il paese. La Bbc e «Le Monde», invece, si concentrano sul capo degli «ammutinati». La tv britannica ricorda che Renzi «non è mai stato eletto in parlamento e non ha un mandato popolare» mentre il quotidiano francese titola: «Renzi, l'uomo che ha fretta». La stampa italiana, invece, a parte pochissime eccezioni, esulta col nuovo capo.

Senza neanche poter passare per l'aula, il 14 febbraio Enrico Letta riunisce il consiglio dei ministri, poi va da solo dal presidente della Repubblica, alla guida di una Delta grigia, e rassegna dimissioni irrevocabili. Un colloquio di appena un'ora durante il quale il capo dello Stato gli rinnova l'invito ad accettare il dicastero dell'Economia nel futuro governo Renzi e, di fronte al suo fermo diniego, quasi lo prega: per lui sarebbe una garanzia. Letta ringrazia ma spiega che non può proprio accettare.

Renzi, mentre aspetta la chiamata dal Colle, torna dopo quasi un anno di assenza a Palazzo Vecchio. Del resto è ancora sindaco di Firenze. Non partecipa a una riunione di giunta o a un consiglio comunale ma a una cerimonia. «È uno dei momenti più belli da cinque anni a questa parte» dirà durante il suo intervento. Di cosa si tratta? Come tutti gli anni, in Comune vengono invitate dal primo cittadino le coppie che festeggiano le nozze d'oro. Un'iniziativa promossa dallo stesso Renzi appena conquistata la poltrona più ambita della città. Lui parla di futuro e si complimenta con i presenti che sono «un esempio da seguire in questi tempi in cui tutto ci costringe a essere veloci, rapidi, superficiali senza mai un minimo di confronto e approfondimento reale. Voi ci ricordate quali sono i valori imprescindibili della famiglia, dell'unione, del rispetto: cinquant'anni insieme sono tanti, auguri».

Intanto, fuori dal Palazzo fiorentino, prendono forma gli equilibri del futuro governo. Chi sostiene la maggioranza, chi si pone all'opposizione e chi invece fa l'indeciso in attesa di sapere quanto il nuovo capo è disposto a pagare. È chiaro a tutti però che qualcosa nel sistema democratico sia saltato: la sfiducia al governo votata da un partito e non dal parlamento; l'incarico per formare l'esecutivo affidato a un leader scelto non dal capo dello Stato ma indicato dal suo stesso partito. Il segretario del Pd è riuscito nella sostanza a sostituirsi e imporsi agli iter costituzionali. Persino l'amico miracolato da Renzi, Silvio Berlusconi, se ne accorge: «A lui faccio gli auguri di tutto cuore ma questo non significa che ciò che sta accadendo sia da iscrivere in ciò che può accadere in una democrazia perché o il potere è democratico o non è democrazia».

Ovviamente il sindaco di Firenze delle critiche se ne frega. Ormai ha raggiunto il suo obiettivo: conquistare il potere romano. Certo, ogni tanto, durante la marcia, ha perso la maschera e mostrato il suo vero volto, ha dimostrato di essere inaffidabile, che la sua parola vale solo nell'istante stesso in cui viene pronunciata. Ma ora è proiettato nella sala di comando: l'odiato partito è totalmente nelle sue mani, gestisce il parlamento attraverso impensabili alleati come Denis Verdini e truppe di transfughi, può gestire il potere.

Le consultazioni del Colle sono un lampo. Il simbolo di questo passaggio è l'immagine di Silvio Berlusconi, condannato in via definitiva ed espulso dal Senato, che varca il Quirinale per incontrare il capo dello Stato.

Il 17 febbraio arriva il momento di Renzi: atteso dal presidente della Repubblica per le 10.30, si presenta con dieci minuti di anticipo. Abito scuro, camicia bianca, cravatta blu. Volto teso. Viene immortalato alla guida di una Giulietta con al fianco Filippo Sensi, titolare della comunicazione del Pd e poi, una volta a Palazzo Chigi, capataz delle veline del capo. Un'istantanea rubata li immortala sempre in auto, entrambi con lo sguardo smarrito, a mordicchiarsi il labbro inferiore. Il cancello è aperto. Renzi fissa la guardia stupito, chiede il permesso di entrare. L'ingresso è sgombro: manca ormai appena una rampa di scale, il traguardo è lì.

L'occupazione dei Palazzi

Il rottamatore… a parole

Il 21 febbraio 2014 Renzi sale al Colle baldanzoso.

Appena quattro giorni dopo aver ricevuto l'incarico di formare il governo ha già sottobraccio la lista dei ministri che vorrebbe con sé. Ma il capo dello Stato ne cancella diversi. E ancora una volta il presunto uomo nuovo cede: meglio scendere a compromessi che rinunciare al potere. Se però a parole si mostra sicuro – «Mi gioco la faccia, che è più importante della carriera» dice – nei fatti dimostra l'esatto contrario.

L'incontro si preannuncia lunghissimo. Tanto che, dopo un'ora, il suo addetto alle veline, Filippo Sensi, intercetta tra la stampa in attesa al Quirinale i dubbi sul perché quello che doveva essere un breve dialogo si stia trasformando in un incontro dai tempi biblici e decide di suggerire a Renzi – mentre è davanti a Re Giorgio – di fare il suo mestiere: spostare l'attenzione e ridurre un passaggio così importante (la formazione del governo) a una battuta legata direttamente alla sua persona.

Matteo segue il consiglio e, dalla stanza in cui sta discutendo con il capo dello Stato, pubblica un tweet: «Arrivo, arrivo!». Seguito dall'hashtag #lavoltabuona. Sono le 9.41. Uscirà quasi due ore dopo, visibilmente provato e con un elenco di nomi ben diverso da quello con cui era entrato.

Renzi vorrebbe un rinnovamento complessivo. Il capo dello Stato invece esige continuità con l'esecutivo Letta. Lo chiede nelle politiche da attuare e lo impone nei nomi della compagine governativa. In parte anche per esaudire il desiderio confidatogli dal premier spodestato: «Voglio che sia chiaro che sono stato fatto fuori e da chi».

E così, salvo poche eccezioni, cambiano le caselle ma i nomi della squadra renziana sono gli stessi di quella del suo predecessore. Angelino Alfano è confermato al Viminale, Maurizio Lupi resta alle Infrastrutture, Maurizio Martina rimane titolare del dicastero per le Politiche agricole e Beatrice Lorenzin conserva la guida della Salute. Dario Franceschini, attivissimo nella fase di assedio finale all'esecutivo Letta, lascia il ministero dei Rapporti con il parlamento e corona il suo sogno ritrovandosi a capo dei Beni culturali. Graziano Delrio, altro uomo che Renzi vuole premiare, dagli Affari regionali diventa sottosegretario alla Presidenza del Consiglio e poi sostituisce alle Infrastrutture Lupi quando quest'ultimo – nel marzo del 2015 – è costretto alle dimissioni a seguito di un'inchiesta che lo coinvolge indirettamente, seppur non indagato. Alla Difesa arriva Roberta Pinotti e all'Ambiente Gian Luca Galletti, nel governo Letta rispettivamente sottosegretari alla Difesa, la prima, e all'Istruzione, il secondo. Fin qui la continuità imposta da Napolitano.

Nell'esecutivo fanno invece il loro ingresso per la prima volta i fedelissimi del sindaco: Luca Lotti, sottosegretario alla Presidenza con diverse deleghe tra cui quella delicatissima e fondamentale all'Editoria, e Maria Elena Boschi, che si vede assegnare i Rapporti con il parlamento e le Riforme costituzionali.

Il neopremier vuole poi mettere a Palazzo Chigi la bandiera delle quote rosa e così sceglie la giovane e inesperta Marianna Madia, alla quale assegna la Semplificazione; mentre, in accordo con Napolitano, individua i nomi di altre tre ministre: Maria Carmela Lanzetta agli Affari regionali (che poi si dimetterà il 30 gennaio 2015), Stefania Giannini all'Istruzione e, allo Sviluppo economico, la berlusconiana, ex capo dei giovani industriali, Federica Guidi. Su quest'ultima nomina sono in molti nel Pd a storcere il naso per l'evidente conflitto di interessi, ma Renzi ovviamente se ne frega: che lisci il pelo agli imprenditori non è una novità.

A fine marzo del 2016 però proprio Guidi sarà costretta a dimettersi: intercettata dalla Procura di Potenza, il ministro rassicura il suo compagno Gianluca Gemelli sul via libera a un emendamento alla legge di Stabilità che favorirebbe i suoi interessi imprenditoriali. Una telefonata imbarazzante per l'intero esecutivo che coinvolge prima Maria Elena Boschi e poi lo stesso Renzi, costretto ad ammettere di aver voluto lui quell'emendamento. L'inchiesta è relativa alla gestione dei rifiuti nel centro Eni in Basilicata. I magistrati chiedono ma non ottengono l'arresto per Gemelli. Agli atti però c'è l'inter-cettazione che costringe il ministro a lasciare l'esecutivo: era il 5 novembre 2014 e Guidi comunicava al compagno che nella legge di Stabilità era stato reinserito un emendamento già presentato nello Sblocca-Italia ma bocciato durante la discus-sione in commissione parlamentare. «Dovremmo riuscire a mettere dentro al Senato» diceva il numero uno del dicastero dello Sviluppo economico. Garantendo: «È d'accordo anche Maria Elena».

Altre polemiche scaturiscono dalla scelta di Giuliano Poletti per il ministero del Lavoro. Cresciuto nel Partito comunista italiano – di cui è stato segretario a Imola dal 1982 –, Poletti è ritenuto capo indiscusso delle cooperative rosse riunite nella Legacoop, che guida come presidente nazionale ininterrotta-mente dal 2002. Napolitano approva.

Il capo dello Stato vorrebbe anche la conferma di Fabrizio Saccomanni all'Economia, ma su di lui Renzi pone un veto netto, «sacrificando» volentieri un nome a cui tiene molto per connotare – anche solo a livello di immagine – il proprio ese-cutivo: il magistrato Nicola Gratteri alla Giustizia. Via Are-nula, infatti, sarà assegnata ad Andrea Orlando – nonostante non abbia alcuna laurea, tanto meno quella in Giurispru-denza –, già titolare dell'Ambiente nel governo Letta, mentre all'Economia Renzi sceglie, su suggerimento del Colle, Pier Carlo Padoan.

«Gratteri sei in squadra.» Anzi no

Un foglietto di carta ripiegato con scritto, ben visibile, «magistrato in servizio» e, accanto, il nome di Nicola Gratteri. L'appunto è nelle mani di Matteo Renzi, immortalato mentre fa il suo ingresso al Quirinale. Il nemico numero uno della 'ndrangheta è stato contattato dall'entourage del neopremier nei giorni precedenti e ha dato la sua disponibilità a guidare il dicastero della Giustizia, a condizione di poter lavorare davvero. Ancora la sera prima è stato rassicurato: «Sei in squadra». E lo è davvero. Almeno fino a quando il suo nome non viene cancellato da Napolitano. Il capo dello Stato aveva già manifestato dei dubbi ai fedelissimi renziani per il fatto che Gratteri fosse un magistrato in servizio. Il toscano aveva insistito: c'è il precedente di Francesco Nitto Palma, guardasigilli nel governo Berlusconi. Ma l'inquilino del Colle è irremovibile: «Gratteri è inaccettabile».

Sotto scorta dall'aprile del 1989, il magistrato è uno degli uomini chiave della Direzione distrettuale antimafia. In prima linea contro la 'ndrangheta, ha subito ogni tipo di minaccia. Il 21 giugno 2005, nella piana di Gioia Tauro, il nucleo del Ros dei Carabinieri ha scoperto un intero arsenale – compreso un chilo di plastico, lanciarazzi e kalašnikov – destinato a un attentato contro Gratteri. Procuratore aggiunto della Repubblica presso il Tribunale di Reggio Calabria dal 2009, entra nei gangli dei Palazzi romani il 18 giugno 2013, quando il presidente del Consiglio Enrico Letta lo nomina nella task force chiamata a individuare e a proporre strategie per la lotta alla criminalità organizzata.

Idee chiare. Le mette in ordine Beatrice Borromeo su «il Fatto Quotidiano», rivelando la mancata nomina di Gratteri a ministro. Le sue proposte erano già pronte. A cominciare da quella contro il sovraffollamento delle carceri. Il magistrato l'avrebbe risolta così: «Serve la realizzazione in tempi brevi di nuove strutture penitenziarie». E ancora: «Bisognerebbe riorganizzare gli spazi secondo il modello americano: chiusi nelle celle dovrebbero restare solo i detenuti di alta sicurezza (41-bis e individui ritenuti socialmente pericolosi), mentre gli altri potrebbero usufruire degli spazi esterni, e lavorare per il reinserimento sociale». Poi le misure alternative: «Soprattutto per tossicodipendenti e baby criminali». Ma la mossa fondamentale era quella di fare accordi bilaterali per far scontare ai detenuti stranieri la pena nei loro paesi d'origine.

Poi la riforma del Codice di procedura penale per l'urgente necessità di ridurre la durata dei processi. Alla base tutte idee già comunicate a Letta. Tra queste, l'indispensabile informatizzazione della cancelleria. E l'esigenza di non rinnovare l'istruttoria dibattimentale in caso di sostituzione del giudice durante il processo. Questa procedura, secondo Gratteri, «è una delle principali cause che permette la dilatazione della durata dei processi» e lo sperpero di denaro pubblico e di forza lavoro. La proposta è semplice: utilizzare le dichiarazioni già rese. Infine Gratteri suggerisce di introdurre l'uso della posta elettronica certificata per comunicare le notifiche. Ma il magistrato propone anche l'inasprimento del 41-bis, imponendo ai detenuti di restare totalmente isolati, e una *white list* per candidarsi al parlamento: «Per lo meno la fedina penale intonsa. Ci vuole uno sbarramento netto, chiaro, feroce». Insomma: «La politica avrebbe senso farla solo se si avesse il potere di cambiare davvero le regole del gioco, nel rispetto della Costituzione».

Una frase che ripete anche pochi giorni prima della formazione del governo rispondendo alle domande di Riccardo Iacona durante una puntata della trasmissione di Rai3 *Presadiretta*. Sarebbe disponibile a diventare ministro della Giustizia nel nuovo governo Renzi? «Sì, se avessi la libertà di realizzare le cose che ho in testa.» Talmente logica, chiara e nota è la sua posizione che nel ruolo di guardasigilli il capo dello Stato preferisce mettere Orlando, nonostante le conferme per Gratteri fino all'ultimo. E Renzi accetta volentieri di sacrificarlo.

Una volta scartato, il procuratore aggiunto prosegue la sua attività senza alcuna rimostranza. Ma è il suo amico e coautore di libri Antonio Nicaso a far trapelare l'irritazione per il voltafaccia: «Io e Gratteri continueremo ad andare nelle scuole, dove ci apprezzano di più».

Poco importa se il 27 febbraio 2014 Rosy Bindi, in qualità di presidente della Commissione parlamentare antimafia, lo nomina consigliere della stessa o che il 1° agosto del medesimo anno Renzi lo insedia presidente della commissione per l'elaborazione di proposte normative in tema di lotta alle mafie: del resto c'è già una sua relazione di quattrocento pagine consegnata a Letta e rimasta lì, a fare polvere nel Palazzo.

La nomina di Gratteri a ministro resta un'occasione persa secondo molti. Dato il peso internazionale della 'ndrangheta, il magistrato è diventato un punto di riferimento fondamentale per la polizia federale tedesca come per l'Fbi. La sua nomina al governo avrebbe lanciato il segnale di una vera svolta per l'Italia, spesso messa all'indice per il suo lassismo nella lotta alla criminalità e alla corruzione.

Saccomanni, Nardella e lo sgarbo all'amico generale

«All'Economia ci vuole un politico.» È il 9 gennaio 2014 e Dario Nardella, fedele di Renzi e futuro sindaco di Firenze, parla con il generale della Guardia di finanza Michele Adinolfi del titolare del dicastero di via XX Settembre, Fabrizio Saccomanni. L'uomo non piace all'entourage renziano. E ancora meno a Adinolfi. Il motivo è svelato dalle intercettazioni dei Carabinieri del Ros disposte su richiesta della Procura di Napoli nell'ambito dell'inchiesta sulla Cpl Concordia e gli appalti sull'isola di Ischia.

I colloqui vengono captati quasi per caso. Come già detto, il generale è indagato ma la sua posizione verrà poi archiviata. Però le parole rimangono. E per quanto siano ritenute inutili ai fini investigativi, e prive di risvolti penali, sono utilissime a comprendere alcuni degli equilibri del potere renziano e lasciano aperti molti interrogativi tra cui quello sul perché il «Giglio magico» sia così legato a Adinolfi.

Il generale guida il nucleo regionale della Finanza proprio negli anni in cui il sindaco scala il Pd e il governo. Un legame molto profondo, tanto che l'alto militare chiama affettuosamente l'amico «Matteuccio» anche quando parla di lui con altre persone, «mostrando notevole intimità» annotano i Carabinieri.

Dalle intercettazioni emerge che a turbare le notti del generale sia la scelta di Saccomanni di prorogare la nomina di Saverio Capolupo a comandante della Finanza per altri due anni. Secondo i rilievi dei Carabinieri, «obiettivo a cui Adinolfi evidentemente mirava era quello di avanzare una propria candidatura alla carica di comandante del Corpo bipartisan, ovvero tramite la segreteria nazionale del Pd [guidata da Renzi, *nda*] e con il Pdl grazie al rapporto [che lo lega, *nda*] a Gianni Letta».

Il 16 gennaio Luca Lotti chiama Adinolfi per invitarlo a prendere un caffè, alle quindici, in largo del Nazareno, sede dei democratici. Lui accetta l'incontro. Il fedelissimo del sindaco gli suggerisce di salire nel suo ufficio dal retro perché ci sono troppi giornalisti che presidiano l'ingresso. Il generale vuole anticipare eventuali candidature al posto di Capolupo e sa che questi sono i giorni cruciali. Alle 14.16, proprio mentre sta raggiungendo Lotti, riceve una telefonata da Vincenzo Fortunato, ex capo di gabinetto del ministro Tremonti, poi presidente di Invimit, la società di gestione del risparmio che amministra immobili pubblici di proprietà del ministero dell'Economia. Fortunato gli comunica che al consiglio dei ministri Saccomanni ha confermato la nomina di Capolupo a comandante generale della Guardia di finanza, ma non sa – dice – se sia andata a buon fine o meno. «È molto indicativo di un governo che sente la terra che gli trema sotto i piedi» commenta Fortunato. E consiglia: «Dillo ai tuoi di amici, perché anche da un punto di vista mediatico è una scorrettezza».

Il telefono di Adinolfi diventa bollente. È profondamente risentito per la notizia appena ricevuta e cerca conferme. Chiama il generale della Guardia di finanza Vito Bardi, comandante in seconda del corpo; poi Mario Orfeo, direttore del Tg1, e infine lo stesso Luca Lotti.

Bardi si dice contrariato, disapprova profondamente la mossa del ministro, tant'è che il militare lo invita a sollevare «il caso Capolupo». Ma è proprio il comandante ad accendere di nuovo le speranze: la proroga, infatti, non è stata ancora vistata. La doccia fredda arriva da Orfeo: sarà proprio lui il giorno successivo a comunicare al generale la conferma per altri due anni dell'uomo proposto da Saccomanni.

Adinolfi è letteralmente infuriato. Coinvolge Nardella e il solito Lotti, i due più fidati caporali di Renzi. Con il primo parla genericamente del ministro dell'Economia. Sebbene non esprima critiche verso la persona, gli viene chiesto in che rapporti Capolupo sia con la Guardia di finanza. E il generale: «Non ne ha» e «questo è un problema». Poi aggiunge che «Matteuccio avrebbe voluto al posto di Saccomanni il vecchio» ministro dell'Economia, riferendosi con ogni probabilità a Vittorio Grilli.

A Lotti, invece, Adinolfi manda un sms: «Veramente allucinante, oggi il ministro Saccomanni ha portato in consiglio, sei mesi prima [della scadenza, *nda*], la nomina di Capolupo. Siamo senza parole, un ministro, che non si sa se resta, sei mesi prima porta in consiglio una nomina così». Lotti risponde immediatamente: «Con nostra avversione», dimostrando di essere al corrente delle manovre di Renzi per far cadere Letta e di stare ancora cercando di far saltare la nomina di Capolupo. E poi aggiunge: «Ti chiamo e ti spiego quello che è successo. Che ha fatto Matteo ieri». La proroga, infatti, il giorno prima aveva subito uno stop. Seppur momentaneo. E Lotti lascia intendere che sia merito del suo capo. Adinolfi, ovviamente interessato, risponde: «Chiamami al fisso».

Ascoltando questi dialoghi, gli inquirenti napoletani decidono di emettere un decreto d'urgenza per organizzare un'intercettazione ambientale alla Taverna Flavia a Roma. È qui, infatti, che Adinolfi organizza una cena la sera stessa con il generale Bardi e Giorgio Toschi, altro generale e comandante della Scuola di polizia tributaria. I tre, con rispettive consorti, arrivano alle ventuno. Gli investigatori non sbagliano: tema predominante dell'incontro è la nomina di Capolupo. Una delle tre signore, probabilmente esausta dell'argomento ma con estremo senso pratico, chiede: «Ma non è possibile rimuoverlo?». La risposta di Toschi (secondo i Carabinieri) annienta le speranze della donna: «No, non è possibile».

Ma la frase che più di tutte fotografa alla perfezione la serata è di Vito Bardi. Il generale si alza e si allontana per pochi minuti. Quando torna a sedersi dice ai suoi commensali: «Il nostro mi sembra il tavolo della carboneria».

Il 5 febbraio è Fortunato a dare una sua lettura della nomina. «Sei mesi prima, senza averne… anche mortificando tutta la gerarchia interna, no? Quindi secondo me lì c'è qualcosa di strano, cioè non è che, c'è il pericolo che ce ne andiamo e allora io lo confermo, no? C'è, c'è esigenza che non venga cambiata la guida perché a noi ci interessa che la Guardia di finanza… E quindi qui c'è qualcuno che ha un interesse specifico di questi che contano, cioè o il Quirinale o Palazzo Chigi.»

Di lì a poco cade Letta, Saccomanni con lui. Nonostante ciò, Adinolfi non riuscirà a scalzare Capolupo, che sarà sostituito dal generale Giorgio Toschi nel maggio del 2016.

Il Giglio magico a Roma

Se sulla formazione del governo Renzi deve scendere a patti con Napolitano e con nuovi e vecchi amici e alleati, sulle nomine può agire liberamente appena varca Palazzo Chigi.

Incassata la fiducia del Senato e della Camera il 25 febbraio, dal giorno successivo parte il trasferimento in blocco del Giglio magico da Firenze a Roma. Non basterebbe un intero Frecciarossa per trasportare tutti. Da allora, e in due anni di esecutivo, il premier sposterà nei posti chiave circa cento persone. Tutte *made in Florence.* Una vera e propria occupazione continua. E quando, nel gennaio del 2016, la presenza toscana in parlamento è ormai predominante, lui rivendica: «Non c'è niente di male a circondarsi di persone di fiducia, è normale». Soprattutto se sono «competenti e preparate». Come dargli torto?

L'iniziale mira di Renzi è la comunicazione, voce fondamentale per l'intera ascesa. Uno dei primi incarichi viene affidato a Tiberio Barchielli, fotografo ufficiale di Palazzo Chigi con un compenso di settantamila euro annui. Per carità, un professionista. È sempre presente. Il premier se lo porta ovunque in giro per il mondo, così da farlo lavorare a pieno ritmo. Per volare alla finale degli Us Open di New York nell'estate del 2015 si è dovuto persino svegliare all'alba. Ma non gli pesa, perché è abituato: gli capitava con frequenza quando era autista dei pullman di linea Sita.

Barchielli ha diciassette anni più di Matteo. I due hanno in comune solo la provenienza: Rignano sull'Arno. Per il resto il loro rapporto è inspiegabile. Così come inspiegabile è il motivo per cui Barchielli viene nominato fotografo ufficiale del premier. Classe 1958, nel 2002 trasforma la fotografia in lavoro. Ma già nel 1995 si diletta con gli scatti, tanto da essere denunciato da Antonio Di Pietro, sorpreso a pranzo con Romano Prodi. Nel 2003 diventa giornalista pubblicista e apre la società Focus Europe Snc insieme con Carlo Brogi, per poi chiuderla nel 2009. Comincia a definirsi «paparazzo» e nel 2012 apre il sito Gossipblitz.it, un anonimo e quasi sconosciuto portale con più foto di fondoschiena che parole.

A supervisionare la comunicazione arriva anche Franco Bellacci, detto «Franchino», tuttofare mediatico di Renzi dai tempi della Provincia di Firenze. Suggerisce video e canzoni per la Leopolda insieme alla infaticabile Veronique Orofino. Bellacci gestisce anche gli account dei social network, Twitter e Facebook, e capita che «per sbaglio» pubblichi contenuti al posto del suo leader.

Un'altra storica collaboratrice di Matteo è Eleonora Chierichetti, anche lei al suo fianco sin dalla Provincia. Ma a Roma viene inserita nello staff di Lotti. Nel quale viene sistemato, come capo della segreteria, anche Nicola Centrone, ex segretario della Sinistra giovanile ed ex assistente parlamentare di Dario Nardella.

Altro uomo chiave della comunicazione, e in particolare delle campagne elettorali – sia vinte che perse – del premier, è Pilade Cantini. È sua parte del discorso che Renzi legge in occasione della sconfitta contro Pier Luigi Bersani alle primarie del 2012. Chi lo conosce descrive Cantini come un «comunista romantico». Negli anni Novanta, nelle fila di Rifondazione, viene nominato assessore al Comune di San Miniato, in provincia di Pisa, di cui è originario. Oltre a tenere la corrispondenza con i cittadini per conto dell'attuale presidente del Consiglio, scrive libri. L'ultimo s'intitola: *Piazza rossa. La provincia toscana ai tempi dell'Urss*.

Della gioiosa macchina della propaganda fiorentina traslocata a Roma fa parte anche Francesca Grifoni, che approda direttamente nell'ufficio stampa del premier. La donna cresce a Florence Multimedia, la tv creata ad hoc da Renzi ai tempi della Provincia per diffondere il suo verbo e che costerà alle casse dell'ente qualcosa come dieci milioni di euro. Ma i risultati, come sappiamo, saranno proficui.

C'è poi Giovanni Palumbo, storico capo di gabinetto che, sempre ai tempi della Provincia, senza colpo ferire firma ricevute e spese di rappresentanza per oltre dieci milioni di euro. Oggi è a capo della segreteria tecnica a Palazzo Chigi.

L'elenco è davvero infinito, un'intera generazione di consiglieri comunali, politici, assistenti, portaborse, giornalisti: persone che a Firenze hanno conquistato, in un modo o in un altro, la fiducia di Renzi, che ora ricambia portandoli con sé nei tanto odiati Palazzi del potere.

Loro rappresentano – per dirla con uno del gruppo, che però rifiuta di partecipare alla marcia su Roma – la generazione di trenta-quarantenni che hanno aspettato «che arrivasse il loro turno». Giuliano Da Empoli, nel suo libro divenuto bandiera dei talebani renziani, *La prova del potere*, tratteggia così coloro che «la rivoluzione non l'hanno mai voluta perché sapevano che prima o poi la chiamata dall'alto sarebbe arrivata. Sono garbati e, in alcuni casi, competenti. La massima trasgressione, per loro, è una partita a Subbuteo a mezzanotte. Hanno sopportato anni di noia e di attesa, a inseguire maestri che non se li filavano, a farsi crescere la barba e a indossare occhialini rettangolari per darsi un tono».

Da Empoli, prima consigliere politico di Renzi e oggi presidente del Gabinetto Vieusseux, celebre istituzione culturale di Firenze, per molto tempo è davvero convinto che il suo amico Matteo sia «l'uomo nuovo», ma sarà costretto a ricredersi. Fa parte della giunta comunale guidata da Renzi, ma il sindaco, nonostante il legame stretto, non esita a cacciarlo dal Giglio magico. Per un'inezia: un veleno messo in giro ad hoc. L'assessore, infatti, viene accusato di aver spifferato ai giornali i tentativi del primo cittadino – poi andati a vuoto – di avvicinare il presidente statunitense Bill Clinton in visita a Firenze nel 2012. I quotidiani locali riportano i rocamboleschi agguati dell'allora candidato alle primarie in cerca di una foto con l'uomo più potente del mondo. La classica foto *opportunity*. Renzi ci prova in tutti i modi: dopo aver fallito la strada ufficiale, rimbalza fuori dai ristoranti dove l'ex numero uno della Casa bianca pasteggia; fa le poste sotto il suo albergo e tenta, infine, di braccarlo all'aeroporto il giorno del rientro negli Usa. Niente da fare, a Peretola viene addirittura tenuto a distanza, oltre le transenne. Tanta fatica ma niente foto. E, in più, lo sberleffo sui giornali. Matteo si convince che sia stato proprio Da Empoli a raccontare tutto alla stampa. Lo immagina divertito e così lo elimina. Lo parcheggia nel purgatorio degli ex renziani.

Un limbo in cui finiscono in molti: chi tradisce il capo, chi tenta di fregarlo, chi parla senza permesso. Da Empoli è un intellettuale e non se ne fa un problema. Anzi, confida ad amici fiorentini: «Bischero lui a non capire a chi dar credito e a chi no».

Dell'esercito che arriva a Roma fa parte Luca Di Bonaventura, di origini abruzzesi ma risciacquatosi in Arno, ex collaboratore dell'agenzia di stampa Ansa di Firenze, che si ritrova a fare il portavoce di Maria Elena Boschi. Mentre Maria Novella Ermini, figlia del direttore del «Corriere Fiorentino» Paolo, già assunta alla Florence Multimedia, poi portata a Palazzo Vecchio, sbarca nella capitale con un contratto a Palazzo Madama come portavoce della senatrice Rosa Maria Di Giorgi.

Manzione, la vigilessa a Palazzo Chigi

Una volta che Renzi si insedia al governo, comincia la spartizione delle poltrone di Palazzo Chigi. La prima viene occupata da Antonella Manzione: a lei va il delicato incarico di responsabile del dipartimento Affari giuridici. Esperienza? Quanto quella di tutti gli altri: quasi zero. Ma è persona fidata, fidatissima.

Capo dei vigili urbani fiorentini e direttore generale di Palazzo Vecchio, Manzione, sorella di Domenico – ex magistrato e sottosegretario all'Interno «in quota renziana», come lui stesso si definisce in un'intervista – è un'esecutrice silente di Renzi, con ottimi rapporti istituzionali. A Firenze pranzava almeno una volta alla settimana con il procuratore capo e a volte anche con il presidente della Corte d'appello, sempre al ristorante Da Lino, vicino alla sede del Comune.

Odia i giornalisti ed è riservatissima. Per averla al governo il premier la deve imporre alla Corte dei conti: la magistratura contabile, infatti, boccia immediatamente la sua nomina perché priva di requisiti. L'incarico pertanto viene «congelato», ma Renzi, in risposta, lo conferma mandando un nuovo contratto in viale Giuseppe Mazzini.

Già nel 2011 il sindaco interviene in difesa della donna contro il Pd fiorentino, che solleva dubbi di incompatibilità tra i due ruoli che ricopre a Palazzo Vecchio. E tutto fila secondo i desiderata renziani.

Il curriculum di Manzione, come quelli di buona parte dei toscani sbarcati a Roma, non riserva grandi sorprese. Una laurea magistrale in Giurisprudenza, l'abilitazione da avvocato e una lunga carriera nell'amministrazione pubblica, in particolare nel corpo dei vigili urbani a Pietrasanta, Livorno, Verona, Lucca e infine Firenze. Nel 2006 è protagonista di un arresto:

un esposto firmato nel 2002 dall'allora comandante della polizia locale della Versilia porta dietro le sbarre Massimo Mallegni, all'epoca sindaco di Pietrasanta, eletto con Forza Italia. Il primo cittadino, accusato di ben cinquantun reati diversi, si fa trentanove giorni di cella e altri centoventi ai domiciliari. L'ordine d'arresto viene firmato da Domenico Manzione, in quegli anni magistrato presso il Tribunale di Lucca. Mallegni verrà assolto con formula piena perché i fatti non sussistono. Non solo, la Cassazione giudicherà illegittimo l'arresto e chiederà il risarcimento danni. L'ex sindaco ora fa l'albergatore. I fratelli Manzione, invece, sono a Palazzo Chigi con l'amico di Rignano.

#labuonascuola? All'assessore Bonaccorsi

«Con i sindacati? Ho già parlato abbastanza.» Filippo Bonaccorsi è un precursore del renzismo, tanto da anticiparne frasi, modi e atteggiamenti. Lui e il premier sono una cosa sola dai tempi della Provincia di Firenze, dove Bonaccorsi è dirigente del settore Trasporti. A Palazzo Vecchio, invece, Renzi, per rimanere nell'ambito, prima gli affida la controllata Ataf, la locale azienda dei mezzi pubblici, e poi l'assessorato ai Trasporti. A Roma il premier gli assegna la cabina di regia del Miur, il ministero dell'Istruzione, dell'università e della ricerca: 21.230 scuole da ristrutturare sul territorio nazionale e un pacchetto di un miliardo di euro da gestire.

Fratello della deputata, ovviamente renziana, e componente del consiglio di vigilanza Rai Lorenza Bonaccorsi, Filippo è un avvocato un po' ragioniere e un po' sceriffo a cui piace lo scontro frontale. Nel 2011, quando l'attuale presidente del Consiglio è ancora un sindaco rottamatore e anticasta, lui mostra i denti ai confederali riuscendo a privatizzare l'Ataf. Il 16 luglio di quell'anno, dopo l'ennesimo sciopero con picchetti e proteste varie davanti alla sede del Comune, Bonaccorsi, invece di prendersela con i sindacati, querela due dipendenti della società chiedendo a ciascuno ottantamila euro per aver denigrato pubblicamente l'azienda. I due sono delegati della Cisl. «Un atteggiamento intimidatorio» replica in quell'occasione la sigla. Lui fa spallucce e rilancia annunciando oltre 570 esuberi, rinuncia a partecipare alla gara per il trasporto regionale e apre quindi un altro fronte di scontro con i lavoratori.

«Bonaccorsi è un irresponsabile» fa sapere poi la Cgil. «La sua è una posizione inaccettabile che porterebbe alla chiusura dell'azienda e alla conseguente perdita di posti di lavoro.» Bonaccorsi non si fa intimidire, il suo unico obiettivo è la privatizzazione: «In nove mesi ho fatto quindici incontri con i sindacati, sinceramente è sufficiente, chi aveva qualcosa da dire l'ha detta, loro hanno scelto di protestare e continuare con gli scioperi, e questa è la conclusione finale» spiega nel dicembre del 2011 anticipando, di fatto, dichiarazioni e atteggiamenti che Renzi farà propri nel 2014 per imporre il Jobs Act.

Alla stessa stregua dell'amico premier, anche Bonaccorsi tende a comunicare il dato positivo della sua azione, omettendo spesso quello negativo. Come quando, nel 2010, presenta il bilancio dell'Ataf sostenendo che sono aumentati «del 90,3 per cento i ricavi da multe», senza ricordare che l'esercizio chiude con una perdita di 3,3 milioni di euro. Nonostante ciò aggiunge: «Abbiamo fatto il giro di boa, traghettando l'azienda fuori dalle secche in sei mesi di gestione. Continuiamo a lavorare sodo sulla strada intrapresa per consegnare ai fiorentini un'azienda moderna, efficiente e sostenibile».

Nel luglio del 2013 Bonaccorsi viene nominato pluriassessore del Comune fiorentino: Infrastrutture e grandi opere, Manutenzioni e decoro, Trasporto pubblico locale. Peccato che quella poltrona non sarebbe consentita: il governo Monti, infatti, con il decreto legislativo 39 del 2013 in materia di inconferibilità e incompatibilità di incarichi, vieta di assumere ruoli di governo a chi ha ricoperto incarichi in una partecipata nello stesso Comune. Una legge introdotta per rafforzare le norme anticorruzione. Due consiglieri di opposizione a Palazzo Vecchio, Tommaso Grassi e Ornella De Zordo, tentano di far rispettare la legge e bloccare la nomina presentando una denuncia alle autorità ma, come con i sindacati, i due amici, Bonaccorsi e Renzi, fanno spallucce.

Controllare le controllate

Nell'aprile del 2014, in un solo colpo, Renzi piazza il suo avvocato, il suo commercialista e il suo finanziatore storico: Alberto Bianchi all'Enel, Marco Seracini all'Eni e Fabrizio Landi in Finmeccanica.

Bianchi, oltre che legale del premier e del fidatissimo Marco Carrai, che definisce «mio fratello», è l'uomo che gestisce la cassaforte renziana dal 2010: prima la fondazione Big Bang, poi la Open. Non solo. Nel 2010 firma un mutuo a garanzia dell'associazione Festina Lente per coprire le spese elettorali che Renzi ha sostenuto nella corsa a sindaco di Firenze. Inizialmente, nella sfida delle primarie del centrosinistra per Palazzo Vecchio, Bianchi ha sostenuto uno sfidante del rottamatore, Lapo Pistelli, ma poi con un balzo – e una firma in banca – è saltato sul carro del vincitore. In questi anni gestisce quasi cinque milioni di euro raccolti attraverso le fondazioni, di cui solamente per poco più della metà è nota la provenienza.

Marco Seracini, invece, è detentore dei segreti iniziali della folgorante carriera politica di Renzi. Siamo nel 2007. In quell'anno il commercialista dà vita, insieme ai più stretti e fedeli uomini dell'attuale premier capitanati da Carrai e Simona Bonafè, all'associazione Noi Link, prima vera cassaforte del Giglio magico. Da allora la sua carriera è in continua ascesa.

Attualmente è presidente della società consortile Co.Fi. Di. Firenze; presidente del collegio sindacale Ing. Luigi Conti Vecchi Spa – gruppo Eni; sindaco effettivo di Eni Adfin Spa – gruppo Eni; Immobiliare Novoli Spa e Sandonato Srl. Nonché presidente del collegio sindacale di Associazione Polimoda, Associazione Scuola superiore di tecnologie industriali, Fondazione Giovanni Paolo II, Fondazione Stensen e Progetto Agata

Smeralda. Ancora: sindaco effettivo della Camera di commercio di Firenze, della Immobiliare Novoli Spa, di Sandonato Srl, dell'Associazione Centro di Firenze per la moda italiana e della Fondazione Stensen. Insomma, ha il suo bel da fare. In particolare in Toscana.

Non è da meno Francesco Landi, indirizzato da Renzi nel cda di Finmeccanica.

Landi è uno dei primi a credere – e a contribuire con diecimila euro – all'ascesa del rottamatore. Partecipa a tutti i meeting della Leopolda usando sempre parole positive (e propositive) per l'amico, al quale spalanca gli ambienti finanziari in cui è cresciuto. Insomma, è uno che ha dato più di quanto abbia preso.

Senese, classe 1958, ad appena ventun anni entra alla Miles Italiana, società del gruppo Bayer, come responsabile della divisione Life Science Instruments. Due anni dopo, nel 1981, accede all'Ansaldo di Genova come responsabile del marketing strategico e diventa uno dei protagonisti del colosso Esaote: prima è amministratore delegato, poi direttore generale. Lascia l'azienda nel 2013, dopo averne seguito personalmente il collocamento a Piazza Affari.

È membro di numerosi consigli di amministrazione di società nordamericane e asiatiche impegnate nell'high tech medicale. Oggi siede: nel cda della Menarini Diagnostics, Firma e Silicon Biosystem facenti capo al Gruppo Menarini di Firenze, nonché in quello di Banca Crf di Firenze e nei consigli scientifici della società El.En. di Calenzano e del Centro d'ateneo dell'Università degli studi del capoluogo toscano. Inoltre è nel consiglio direttivo della Confindustria fiorentina. Mancava giusto Finmeccanica.

Pistelli, il mentore tradito e poi ripagato

«Non si discute, il ministro lo fai te.»

È il primo sabato di luglio del 2014. Matteo Renzi torna a Firenze e raggiunge Lapo Pistelli nell'ufficio di un amico comune, vicino a Palazzo Vecchio. All'incontro sono in quattro. L'ordine del giorno è semplice: il titolare della Farnesina, Federica Mogherini, è proiettata verso la poltrona di alto rappresentante della politica estera Ue. Va sostituita. Pistelli è stato già il vice di Emma Bonino nel governo Letta ed è rimasto il numero due del dicastero anche con la stessa Mogherini. Il passaggio è naturale, legittimo, scontato. In più è il premier in persona a garantirglielo, appunto davanti ad alcuni testimoni. Pistelli gli crede, lo scrive sui social. L'idea lo affascina. Inizia ad annunciarlo anche in qualche intervista. Il 15 luglio «La Nazione» titola: «Lapo, il prossimo ministro degli Esteri: "Ma è Renzi a decidere"». Lui, in cuor suo, è certo della nomina, anche alla luce del rapporto che lega i due da molti anni: «Merito un riconoscimento, dopotutto me lo deve».

È Pistelli, infatti, a «scoprire» il giovane Matteo quando ancora studia Legge e si presenta come impiegato di un'agenzia di marketing che, in realtà, è l'azienda di famiglia Chil, in cui non è assunto ma è socio insieme alla madre, Laura Bovoli, e alle sorelle Benedetta e Matilde.

In quegli anni i «vecchi» democristiani del post Tangentopoli trovano nel centrosinistra un nuovo approdo. Tra questi c'è l'allora colonnello demitiano in Toscana Giuseppe Matulli, padre politico di Pistelli. Passa poco tempo e nel dicembre del 1999 Renzi diventa segretario provinciale del fragilissimo e quasi inesistente Partito popolare, con la benedizione proprio di Matulli, che gli garantisce l'approvazione anche del segretario uscente Giacomo Billi e lo affida alle cure di Lapo: «Crescilo tu».

Pistelli esegue, lo prende sotto la sua ala. Lui, già consigliere della Democrazia cristiana in Comune a Firenze e vicecapogruppo dei Popolari alla Camera, è stato appena eletto in parlamento con l'Ulivo. Così prende l'allievo e lo assume come portaborse. Renzi ha la passione per la comunicazione, crea il giornalino «ComunICare», che contiene nel titolo il motto «I care» di Tony Blair, suo politico di riferimento, e scrive il primo libro: *Ma le giubbe rosse non uccisero Aldo Moro*. Lo firma proprio insieme a Pistelli, ma in realtà è farina del suo sacco. Poche pagine in cui inventa un dialogo tra due fratelli dove quello maggiore, Lorenzo, spiega a Jonas, il più piccolo, il bello della politica. Edito da Giunti, esce nel settembre del 1999 con una prefazione di Romano Prodi, un commento di Luciano Violante, uno di Carlo Conti e le illustrazioni di Sergio Staino. Non male per un esordiente che, in quarta di copertina, viene descritto così: «Ventiquattro anni, laureando in Giurisprudenza. Educatore scout, lavora in un'agenzia di marketing». Nessun riferimento alla politica.

Eppure Renzi ha ormai capito che quella è la sua strada e dimostra di essere in grado, nonostante la giovane età, di risolvere problemi cruciali. Uno in particolare: trovare i soldi. Riesce, infatti, a risanare i conti dei Popolari locali. Grazie a Marco Carrai, che conosce proprio in quel periodo e che sin da subito ricopre un ruolo determinante per l'intera ascesa politica di Matteo: raccogliere fondi, trovare le persone giuste, sdoganare in città, tra finanza e nobiltà, il giovanotto con, sotto le scarpe, la terra di Rignano sull'Arno.

Quando a Renzi, sempre nel 1999, viene proposto di diventare segretario dei Popolari, lui chiama Carrai per coinvolgerlo. «Voleva una mano» racconterà il fedelissimo. «C'erano due vecchi e un debito di cento milioni di lire: nessuno voleva fare il segretario» aggiunge. Renzi accetta dopo aver incassato la sua disponibilità: Carrai lascia Forza Italia – in cui inizialmente milita fino ad aprire un circolo azzurro – e si candida nel 1999 alle amministrative di Greve in Chianti con i Popolari, entrando nella giunta guidata da Paolo Saturnini, per quattordici anni sindaco del paese e poi segretario territoriale del Pd renziano.

La prima «scalata» il futuro rottamatore la fa dunque ai Popolari fiorentini. Coprendo un buco. Mossa ovviamente apprezzata, anche se Matulli si insospettisce e da quel momento inizia a prenderne le distanze, a studiarlo, a non fidarsi di quel giovincello troppo rampante. Sarà lui a dire, nel 2004, quando Renzi a muso duro si imporrà senza preavviso e all'ultimo momento come candidato presidente della Provincia: «Questo qui tra dieci anni o è in carcere o è al governo».

E se Matulli ha dei dubbi, li ha anche Pistelli. I rapporti tra lui e la sua «creatura» politica non si interrompono ma si fanno sporadici. Pistelli del resto è impegnato a Roma. È Matteo – racconta lui stesso – a cercarlo quando ha bisogno di qualche consiglio. In particolare su come comportarsi rispetto ai «vecchi» della Margherita. Nel 2000, infatti, Renzi diventa coordinatore fiorentino del neonato movimento guidato da Francesco Rutelli. E Pistelli è tra i fondatori, oltre che coordinatore della segreteria nazionale, nonché responsabile Esteri e relazioni internazionali. Insomma, è una figura piuttosto rilevante. La nascita del partito è per molti, Matulli e Lapo compresi, un primo passo verso il ritorno alla Dc, dopo essersi nascosti – con fastidio – sotto l'ombrello protettivo del centrosinistra. La stessa Margherita diventa la casa ideale del rampante giovane di Rignano.

Gli anni passano, Pistelli nel 2004 vola al parlamento europeo, dove diventa membro della commissione Esteri. Torna stabilmente in Italia solo nel 2007 quando, con la nascita del Partito democratico, entra a far parte della segreteria nazionale guidata da Walter Veltroni, ricoprendo sempre il ruolo di responsabile Esteri e relazioni internazionali. Incarico poi confermato dai successivi leader Dario Franceschini e Pier Luigi Bersani.

L'anno successivo Lapo viene eletto alla Camera nelle fila del Pd. Renzi in quel momento sta terminando il suo quinquennio alla presidenza della Provincia. Nelle riunioni fiorentine i «vecchi» del partito – tra cui il solito Matulli e lo stesso Pistelli – pensano che sia utile per lui un altro mandato: «Tanto sei ancora giovane».

Renzi, però, ha in testa Palazzo Vecchio e ha a disposizione settecentomila euro raccolti in due anni con la fondazione Noi Link. Vuole svincolarsi dalle regole interne, dagli ingessati sistemi partitici, e rendersi autonomo. Ma non è semplice. Per le primarie comunali i maggiorenti del Pd propongono proprio Lapo Pistelli, nome che lo stesso Renzi, in un primo momento, appoggia. Poi piomba un'inchiesta della magistratura su un caso di urbanizzazione dell'area fiorentina di Castello che coinvolge Gianni Biagi e Graziano Cioni, due assessori della giunta guidata dal sindaco Leonardo Domenici. Si scopre che Renzi, nei mesi precedenti, ha fatto il doppio gioco, come dimostrano le intercettazioni in cui parla al telefono con Cioni, ritenuto il vero possibile vincitore della tornata amministrativa.

La sera del 17 novembre 2008, poche ore prima che la magistratura renda noti i risultati delle indagini, Renzi a sorpresa ufficializza la sua candidatura alle primarie. E dal palco del Teatro Rifredi, dove riunisce i suoi pretoriani, attacca tutti gli avversari. Pistelli e Cioni compresi. «È tempo di fare spazio a una nuova generazione. Avevo tre mesi quando l'altro candidato, Graziano Cioni, era in Provincia, e quando ero in quarta elementare Lapo Pistelli e Daniela Lastri erano già a Palazzo Vecchio. Ora tocca a noi, siamo il cambiamento che la città sta aspettando.»

Il mentore Pistelli verrà schiacciato, nonostante il soccorso del partito, dal suo allievo, che lo ferma al 26,91 per cento delle preferenze contro il 40,16 per cento.

I due si dividono. Ovviamente. Anzi, Renzi si divide da tutti. Ha il suo esercito, che prescinde dai vecchi amici e dal partito; ha i suoi generali, trovati lungo la strada nei posti più disparati; ha i suoi lanzichenecchi, pescati in ogni realtà, tra ex di Forza Italia e del Pci.

Nel periodo in cui Renzi è sindaco di Firenze, la cerchia intorno a lui si trasforma in un clan. Una ragazza dello staff di Palazzo Vecchio viene addirittura emarginata perché il suo compagno, un giornalista, si permette di sollevare dubbi sull'operato del primo cittadino. Subisce un vero e proprio mobbing. Fin quando le spiegano il problema: «Non sei tu ma è lui». Viene sostanzialmente costretta a lasciarlo. Poi le presentano «l'uomo giusto per te», con il quale si sposerà: ora entrambi lavorano alla corte del primo cittadino. Ma è solo uno dei tanti casi che aiuta a capire bene quale sia il clima in Comune: un bunker nel quale il rottamatore pianifica la sua avanzata romana. Bunker da cui sono esclusi gli ex amici. Pistelli compreso.

Quando Renzi, nel febbraio del 2014, arriva a Palazzo Chigi, lo ritrova alla Farnesina. E lì lo lascia. Vice. A lui preferisce Mogherini. Dirà per scelta del capo dello Stato.

Pistelli non ci spera neanche. Conosce il suo figlioccio, ha ancora vive le immagini del percorso e degli sgambetti che ha fatto. A fine giugno però è Matteo a recapitargli la proposta tramite un amico fiorentino comune: «Senti se Lapo sarebbe interessato a fare il ministro degli Esteri». La risposta arriva a breve, scontata: «Ovvio che sì». Così, dopo vari appuntamenti saltati, a inizio luglio finalmente i due si incontrano. Ormai è certo che Mogherini lascerà il dicastero. Strette di mano, abbracci, pacche sulle spalle: di nuovo insieme. Lapo si prepara da anni a quella poltrona, è la sua aspirazione, nonché vocazione naturale. Lo comunica agli amici più stretti. Qualcuno gli suggerisce di non fidarsi. «È sicuro, figurati» risponde.

Ma è il «Corriere della Sera», la mattina del 28 ottobre, al termine del fine settimana alla Leopolda, a dare la ferale notizia: Renzi sta valutando un nome nuovo per la Farnesina, quello di Lia Quartapelle, trentaduenne sconosciuta deputata milanese del Pd alla sua prima legislatura. Scrive il quotidiano: «Il nome della giovane parlamentare lombarda per il vertice della Farnesina sembra scartare quelli più volte circolati nei giorni scorsi, come l'attuale sottosegretario agli Esteri, Lapo Pistelli, o la vicepresidente della Camera, Marina Sereni. Non che le loro chance si siano del tutto dileguate, ma in favore della Quartapelle, oltre naturalmente al fattore rosa che condivide con Sereni, giocherebbe soprattutto la totale novità che la sua nomina comporterebbe, quell'effetto sorpresa che è ormai parte essenziale della narrativa renziana».

Il premier – come spiegherà lui stesso – nei giorni della Leopolda si rende conto che Pistelli è troppo preparato, competente negli Esteri. Ha una rete propria: sarebbe ingestibile o, comunque, coprirebbe la figura del nuovo capo. «Io voglio ministri leggeri, leggeri: il governo sono io perché se qualcuno sbaglia vado a casa io» spiega Renzi ad alcuni ex «suggeritori» con i quali è rimasto in buoni rapporti ma che hanno preferito allontanarsi dal circo del rottamatore. E sono molti. Tutti confermano quanto ami da sempre circondarsi di comparse. Anche in Comune, da sindaco, ripete spesso: «Dovete giudicare me, gli assessori sono lavoratori precari per eccellenza».

Con Pistelli si farà perdonare. Grazie a una nomina in una controllata. Nel giugno successivo, infatti, Lapo diventa vicepresidente senior dell'Eni, con delega alla promozione del business internazionale: un milione di euro di compenso l'anno e un biglietto di addio al Palazzo.

«L'Unità», fanzine del governo

«Il giornale non chiuderebbe se fosse nella nostra disponibilità, purtroppo non lo è.» Matteo Renzi, quando vuole, è fin troppo chiaro. Il tweet con cui, il 29 luglio 2014, commenta l'addio alle edicole da parte de «l'Unità» è l'epitaffio per l'editore Matteo Fago e il direttore Luca Landò, colpevoli di non aver voluto trasformare il quotidiano fondato da Gramsci in una velina renziana. E di averlo detto chiaramente entrambi. L'imprenditore, in un'intervista a «l'Espresso», va oltre: «Renzi non lo voterò mai». Il direttore, invece, critica più volte l'operato del governo, rivendicando nettamente l'autonomia del giornale rispetto al Pd. «Abbiamo operato un rovesciamento di linea editoriale: non essere, e non lo siamo, il quotidiano di partito, il Pd, quanto invece essere, come siamo, il quotidiano degli elettori e dei lettori: a fronte di un partito, il Pd, ondivago e confuso, vogliamo e puntiamo a raccogliere le loro perplessità, difficoltà e il loro disagio, cercando di offrire più approfondimenti e analisi su quel che succede» scrive Landò nel febbraio del 2014, proprio nei giorni in cui il segretario Renzi sta diventando anche presidente del Consiglio.

Quando il giugno successivo la proprietà annuncia che il giornale è a rischio fallimento, e chiede aiuto all'esecutivo, Palazzo Chigi latita. A occuparsene è Luca Lotti, sottosegretario con delega all'Editoria. Ma nonostante le proposte avanzate da altri imprenditori, la strada rimane segnata e mercoledì 30 luglio esce l'ultimo numero del quotidiano: totalmente in bianco. Una resa.

La bancarotta de «l'Unità» lascia debiti per 125 milioni di euro con le banche creditrici. Di questi, 107 vengono coperti dalla presidenza del Consiglio, che prima di versarli, però, compie un'operazione che rasenta il comico: tenta di rivalersi sull'editore di riferimento, cioè il Partito democratico. In pratica il Renzi premier innesca una battaglia legale contro il Renzi segretario del Pd. E come si conclude? Che il Renzi premier scopre che il partito del Renzi segretario ha blindato l'enorme patrimonio immobiliare di cui dispone – e su cui lo Stato potrebbe rivalersi – in cinquantasette fondazioni diverse. Ovviamente riconducibili al Pd. Risultato: a pagare per i debiti de «l'Unità» è Palazzo Chigi.

A quel punto tanto vale riaprirlo, il giornale. Per evitare il fallimento della società si muove anche l'altro fedelissimo del premier diventato tesoriere del Pd, Francesco Bonifazi. Si cercano possibili acquirenti. Arrivano in due. La prima a proporsi è Daniela Santanché, ritenuta, per ovvi motivi politici, inconciliabile con il quotidiano. L'altra possibilità è rappresentata da Guido Veneziani, già editore di alcuni periodici scandalistici come «Stop» e «Vero». Tra i due la scelta è quasi scontata. Nell'ottobre del 2014 entra quest'ultimo. Il piano prevede il suo ingresso iniziale con dieci milioni di euro che serviranno a evitare il fallimento e a chiudere parte delle liquidazioni ai circa sessanta giornalisti lasciati a casa da agosto.

L'arrivo di Veneziani scatena numerose critiche. Ad aprire le danze è Emanuele Macaluso: «Va bene tutto, ma se l'editore rileva la testata, almeno togliete Gramsci». Lo segue l'editorialista de «la Repubblica» Michele Serra. E altri. Ma il problema si risolve con l'avviso di garanzia per bancarotta fraudolenta che la Procura di Asti recapita a Veneziani per il fallimento della stamperia RotoAlba. Il Pd non commenta. Il comitato di redazione del giornale invoca chiarezza. Riportare in edicola «l'Unità» sembra un'operazione complessa: è già trascorso quasi un anno dalla chiusura. Venerdì 22 maggio 2015 Bonifazi si presenta al consiglio di amministrazione della società dell'editore appena indagato. La riunione dura dieci ore. «Non si esce da qui senza una soluzione» è netto il tesoriere del Pd. C'è troppa aspettativa ormai e, soprattutto, il premier è convinto della necessità di avere un giornale «nella nostra disponibilità» come da tweet. C'è già una data per il ritorno in edicola: è il 30 giugno, la settimana successiva. Quindi non si può perdere altro tempo.

Veneziani si dimette da presidente del cda e diluisce le sue quote a vantaggio della Piesse Srl, il cui 60 per cento fa attualmente capo a Massimo Pessina, che già aveva tentato – inutilmente – l'impresa di riesumare «l'Unità» mesi prima. Il restante 40 per cento è intestato a Guido Stefanelli, amministratore delegato della Pessina Costruzioni. Proporzione poi invertita. Quel 22 maggio i due si ritrovano con il 76 per cento della società editrice contro il 38 per cento detenuto in precedenza, mentre Veneziani scende dal 57 al 19 per cento. Il Pd? Resta con il 5 per cento di quote, custodito nella fondazione Eyu.

Contattato da Luigi Franco per ilfattoquotidiano.it, Veneziani spiega: «Mi è stato chiesto fortemente di rimanere nella compagine sociale, visto che da sei mesi studio questo progetto editoriale, ma ho preferito compiere un passo di lato per non mettere in imbarazzo il partito del presidente del Consiglio». Bonifazi tira un sospiro di sollievo ed esulta per il passaggio di «Pessina in testa all'azionariato», che dovrà garantire «trasparenza e massima tutela e affidabilità del nuovo progetto editoriale».

Ma la decisione del Pd e degli altri soci del quotidiano, visto il curriculum del nuovo azionista di maggioranza del giornale, è alquanto discutibile. Ultima, in ordine cronologico, la sua presenza nell'elenco dei clienti italiani di Filippo Dollfus, il barone del riciclaggio internazionale arrestato a Milano all'alba del 26 aprile 2015. Il nome di Pessina compare nella lista di coloro che si sono affidati al finanziere svizzero e ai suoi associati per «trasferire all'estero e occultare denaro o utilità nella gran parte dei casi provenienti da delitti di appropriazione indebita, evasione fiscale, corruzione o riciclaggio», come si legge nell'ordinanza depositata il 29 aprile.

Il 30 giugno «l'Unità» completamente rinnovata può tornare nelle edicole. A firmarla come direttore è un ex giornalista da più di quindici anni lontano dai quotidiani: Erasmo D'Angelis. Lo sceglie direttamente Renzi, il quale si fida di lui; tra loro c'è un rapporto solido, di fiducia reciproca.

Nel 2009, quando è sindaco di Firenze, il rottamatore lo vuole nella controllata Publiacqua: ne è il presidente fino al 2013. A lui, una volta inserita nella società di gestione, viene affidata la giovanissima e inesperta Maria Elena Boschi.

Publiacqua non è una partecipata qualunque: l'assemblea è composta da quarantanove Comuni, gestisce il servizio idrico praticamente dell'intera Toscana e ha come partner privato il consorzio Acque blu fiorentine, formato da una serie di aziende pubbliche e private fra le quali Acea, Suez Environnement e Monte dei Paschi di Siena, che nel 2006 si aggiudica il 40 per cento del capitale sociale. L'azienda gestisce investimenti annui per oltre 60 milioni di euro.

Classe 1955, D'Angelis abbandona il giornalismo nel 2000, quando è eletto nel consiglio regionale tra le fila del listino bloccato Toscana democratica del presidente Claudio Martini, in quota dem. Aderisce poi alla Margherita e viene riconfermato alla Regione nel 2005 con la lista Uniti nell'Ulivo.

L'attuale direttore de «l'Unità» è tra quelli che scommettono sul sindaco fiorentino. Tanto da finanziare anche le fondazioni Big Bang e Open con complessivi 6400 euro. Può farlo perché non fa più il giornalista di professione. Almeno in quel momento.

Nel maggio del 2013 D'Angelis diventa sottosegretario di Stato del ministero delle Infrastrutture e dei trasporti guidato da Maurizio Lupi. Poi Renzi, da premier, lo trasferisce a capo della struttura governativa di missione sul dissesto idrogeologico. Da Publiacqua D'Angelis riesce a inserire nella struttura anche Mauro Grassi come direttore e Francesco Di Costanzo come portavoce. Dalla società di gestione arriva anche Alberto Irace, in ottimi rapporti pure con il ministro Boschi, che oggi è a capo della romana Acea.

Il manager prende in mano «l'Unità» e la trasforma in *house organ:* non del Pd ma del premier e di Palazzo Chigi. Basta citare un caso. Il 29 ottobre 2015 l'ex assessore di Firenze Graziano Cioni, dopo essere stato assolto in primo grado, è condannato in Appello nell'inchiesta sulla speculazione edilizia dell'area di Castello, la stessa che gli è costata la corsa alle primarie per diventare sindaco di Firenze nel 2009. La deputata fiorentina del Pd Tea Albini telefona a D'Angelis per segnalargli la notizia, esprimendo la volontà di spiegare, usando le carte dell'inchiesta, quanto errata sia la condanna. Lui risponde: «Faremo un trafiletto, tra i commenti», cioè tra le ultime pagine del giornale. Lei ha timore che venga nascosto, vorrebbe qualcosa di più. Così telefona a Luca Lotti. E il trafiletto nascosto tra i commenti diventa un articolo di spalla a pagina 5.

La successione

«Eugenio fidati»

La sera del 10 febbraio 2014 a Firenze, in via Perosi, si stappa champagne.

Matteo Renzi ha appena fatto le scarpe a Letta ed è prossimo a diventare presidente del Consiglio, nonostante in precedenza abbia dichiarato che mai avrebbe preso il potere senza prima passare per le urne e che il suo obiettivo sarebbe rimasto la riconferma a Palazzo Vecchio. Ora la poltrona di sindaco è a portata di mano per Eugenio Giani, che pregusta la vittoria festeggiando nella sede del suo comitato elettorale, inaugurata ormai più di un anno prima proprio in vista della sfida alle amministrative.

Giani lo sapeva che Renzi, svelto e intrepido com'è, non sarebbe rimasto a lungo a fare il primo cittadino. E infatti adesso eccolo lì, con Giorgio Napolitano, a sottrarre il campanellino a un Letta contrariato e neanche tanto contenuto.

«Che forte Matteo, ragazzi, è proprio un grande.» In quelle ore Giani è decisamente entusiasta: il suo giovane amico ha cominciato la scalata al potere romano; nessuno, neanche uno navigato come lui, può immaginare fino a che punto può spingersi l'implacabilità di Renzi, che si abbatterà sulle persone più vicine, più scomode, per poi colpire chiunque ostacoli la sua ascesa.

Nato a Empoli, classe 1959, ex socialista, Giani dal 1992 – e per quindici anni con brevi pause – è assessore a Palazzo

Vecchio e poi presidente del consiglio comunale. Amatissimo in città perché ha dato vita – e ne rivendica giustamente la paternità – alla società Florentia Viola con cui ha acquistato la Fiorentina, salvandola così dal fallimento di Vittorio Cecchi Gori, per poi rivenderla a Diego e Andrea Della Valle. Un passaggio che ha garantito a lui un incarico al Coni provinciale (di cui oggi è presidente) e alla squadra di calcio la continuità sportiva ai massimi livelli. E da queste parti la curva Fiesole è sacra almeno quanto la casa di Dante.

Giani è un uomo della strada. Conosce e saluta tutti, artigiani, commercianti, bottegai, ognuno per nome. La sua porta a Palazzo Vecchio è da sempre spalancata per chiunque abbia un problema. Negli anni della giunta Domenici, col sindaco chiuso nelle stanze del potere locale e distante dalla gente, da lui c'è la processione.

È un politico di razza e sarebbe un sindaco perfetto. Sì, ci sono le primarie da affrontare ma l'avversario è Dario Nardella, uno che alle amministrative del 2009 è stato doppiato dallo stesso Giani con 1666 preferenze contro 911.

Renzi, poi, è stato chiaro: «Mi impegno a non schierarmi apertamente a favore di nessuno», come racconta sempre Giani riportando uno dei colloqui avuti con l'attuale premier. «Saranno primarie vere, pulite: come tutte quelle che abbiamo fatto» ha aggiunto.

A Giani, dunque, non resta che aspettare il 23 marzo, giorno della competizione di partito contro Nardella, per essere incoronato candidato sindaco del Pd di Firenze: la sua aspirazione da una vita.

Un traguardo conquistato con pazienza, enorme lavoro, assoluta disponibilità e grande passione. E questo lo sa pure il neopremier. Giani, però, sebbene non sia diffidente nei confronti del sindaco uscente, conosce bene gli uomini, ancora di più i politici, e alla perfezione l'amico Matteo che, allo stesso modo, conosce Eugenio, sa della sua passione per lo sport e di quanto gli piacerebbe potersene occupare a tempo pieno.

Una settimana dopo i festeggiamenti di via Perosi, l'entusiasmo iniziale svanisce. Il 17 febbraio, infatti, Renzi telefona a Giani. La mattina seguente deve salire al Colle per ricevere l'incarico da Napolitano e vuole sapere se a lui piacerebbe essere nella sua squadra a Roma, magari come sottosegretario proprio allo Sport. Certo, è implicito, dovrebbe rinunciare a correre alle primarie, dovrebbe lasciare Firenze e la quanto mai realistica elezione a sindaco. Una scelta complicata.

Giani ne parla con la moglie e con alcuni dei suoi più stretti e storici collaboratori. Secondo loro non c'è neanche da perder tempo a pensarci. E difatti la mattina dopo Giani annuncia il suo ritiro dalla corsa. «Matteo Renzi mi vede nella squadra: lui è l'allenatore. Io avrei preferito fare il centravanti, ovvero il sindaco di Firenze», ma ora «mi viene chiesto di fare il centrocampista»: sicuramente un ruolo con meno visibilità e prestigio ma che comunque «riempie d'orgoglio» spiega all'Ansa riferendo in parte quanto discusso con il sindaco uscente. «A lui offro molta più sicurezza a Palazzo Chigi che non a Firenze, almeno per il momento. Ho preferito questa strada piuttosto che presentarmi alle primarie contro Dario Nardella. Devo essere molto sincero: probabilmente avrei vinto o comunque me la sarei giocata, ma poi avrei creato problemi alla città perché avrei dovuto amministrare avendo un rapporto di competizione con quella speranza per Firenze che si chiama Matteo Renzi, che in questo momento vive, non solo per lui ma per l'intera città, la sfida di diventare presidente del Consiglio. Sinceramente sarebbe stato un danno per Firenze e ho preferito fare questa scelta.»

In pratica, tradotta dal politichese, lingua di cui Giani – come del fiorentino – è fine ricercatore, l'antifona suona più o meno così: se io diventassi sindaco lo farei seriamente, per il bene della città, a prescindere che a capo del governo ci sia un amico o meno. «Renzi – prosegue – mi ha detto che nel costruire un gioco di squadra preferiva che dopo di lui a Palazzo Vecchio ci fosse una persona che avesse quel profilo di continuità nella rivoluzione generazionale che lui porta avanti. Quindi la persona adatta era il suo coetaneo Dario Nardella, che ha trentanove anni mentre io ne ho cinquanta-quattro. Contemporaneamente mi ha detto che rispetto alla politica romana ero giovane e sarei potuto essere interprete di quel processo di rinnovamento e di valorizzazione del merito e delle competenze che costituisce una parte importante del suo operato. Renzi – conclude Giani – con me è stato molto affettuoso e nell'indicarmi un incarico a Roma mi ha detto anche che lui, quando arriva in un ambiente nuovo, ha biso-gno di sentirsi sicuro, come quando io in consiglio comunale gli guardavo le spalle, soprattutto all'inizio del suo mandato di sindaco.»

Renzi però è di memoria corta e non è di parola. Il 28 febbraio il neopremier comunica l'elenco dei sottosegretari. Giani è nel suo ufficio. Aspetta. Dal mattino. In trepidazione. Ha già confidato a molte persone che Matteo gli ha garan-tito una nomina allo Sport. Attende solo l'ufficialità. Rimane chiuso a Palazzo Vecchio. Nervoso. In attesa di poter libe-rare l'euforia. I suoi due telefoni non smettono di squillare; la moglie in meno di un'ora lo chiama più volte. «No, ancora nulla tesoro, ma stai tranquilla: ti avviso io.» Per puro caso chi scrive in quel momento si trova nella sua stanza. Ha di fronte una persona perbene, emozionata ma un filo perplessa. Perché «Matteo, si sa, lo conosciamo…». Renzi, però, la sera prima, gli ha mandato un sms per rassicurarlo. Giani lo mostra. C'è scritto: «Fidati».

Giani cammina irrequieto per la stanza: ascolta le notizie alla tv, si affaccia alla finestra su piazza della Signoria e poi torna a sedersi per qualche minuto. Ogni tanto la sua segretaria bussa alla porta per annunciargli che qualcuno lo cerca. «No, no, più tardi.»

Il tempo passa inesorabile ma da Roma nessuna notizia. Quando finalmente il consiglio dei ministri termina, e Renzi esce con l'elenco dei sottosegretari, il nome di Giani non c'è. «Avrà avuto dei problemi imprevisti» rassicura la moglie al tele-fono. «Poi mi spiegherà, ma va bene così…»

Giani rientra in corsa per il Comune

La politica ha un linguaggio tutto suo. Ma a Firenze, e quando c'è Renzi di mezzo, le regole saltano. Le parole vanno dette chiare e si deve agire senza troppi problemi di etichetta. L'ha insegnato lo stesso Renzi. Così Giani fa trapelare che sta rivalutando la possibilità di presentarsi alle primarie contro Nardella. I termini scadono il 4 marzo e lui ha già pronte le firme necessarie a presentare la candidatura. La notizia esce su tutti i giornali fiorentini la mattina seguente grazie all'agenzia di stampa Ansa, a cui Giani, la sera del 28 febbraio, affida questa indiscrezione: «Fra i nomi per le primarie circola quello del presidente del consiglio comunale di Firenze Eugenio Giani, che aveva deciso di fare un passo indietro dalla corsa a sindaco in vista di un incarico romano, ma che non è entrato nella lista dei sottosegretari e viceministri».

Quando legge i quotidiani, a Giani torna il sorriso sul volto. Rientra a Palazzo Vecchio euforico ed entusiasta come sempre. Sa che a breve arriverà la controfferta di Renzi. Dovrà attendere fino al pomeriggio, ma si rivelerà sostanziosa: un incarico ad hoc, una consulenza legata a Palazzo Chigi per i grandi eventi sportivi, nazionali e internazionali, che si svolgeranno in Italia negli anni successivi.

Giani gongola ma strategicamente temporeggia. Renzi si agita, Dario Nardella pure.

Il «padre» della nuova Fiorentina fa passare giorni prima di rispondere. Aspetta il 3 marzo, vigilia della scadenza per la presentazione delle candidature alle primarie. E intanto rilascia interviste, gira per la città sorridente, stringe mani: sembra in piena campagna elettorale. È la piccola vendetta di un politico navigato. Chi gli chiede un appuntamento è convocato non nell'ufficio del Comune, ma al caffè Rivoire, in piazza della Signoria, di fronte a Palazzo Vecchio, il salotto buono della città che attrae gli sguardi di tutti.

Il 3 marzo Giani rompe gli indugi: accetta volentieri l'incarico che Renzi ha in mente per lui a Roma e sgombera il campo a Nardella, che a breve vincerà primarie e amministrative, diventando sindaco il 26 maggio 2014.

Nel frattempo, però, il sicuro incarico nella capitale svanisce. Il telefono del premier squilla a vuoto e Giani, alla fine, si deve accontentare di un posto come consigliere regionale.

Il controllo su Nardella

Matteo Renzi non è stato il primo a capire che l'attuale sindaco di Firenze, in città, avrebbe fatto al caso suo. «C'è una persona emergente, preparati, te lo troverai avanti nel futuro: si chiama Dario Nardella. Lui è in contatto quotidiano con Rutelli e con il Chiti.» È il 2 gennaio 2008. A parlare è Gaetano Di Benedetto, allora dirigente dell'ufficio Urbanistica del Comune di Firenze. L'uomo è al telefono con Vincenzo Di Nardo, braccio destro di Riccardo Fusi alla Btp (Baldassini Tognozzi Pontello), colosso dell'edilizia che in quegli anni è impegnata in molti cantieri cittadini, tra cui la nuova Scuola Marescialli.

In quel periodo Nardella è consigliere comunale dal 2004 a Palazzo Vecchio e, dal 2006, è consigliere giuridico del ministro per i Rapporti con il parlamento e le riforme istituzionali Vannino Chiti, nel governo di Romano Prodi. Si è già messo in mostra negli ambienti che contano, stando alle intercettazioni allegate al procedimento relativo al fallimento della Btp. L'azienda, infatti, tra le altre cose, ha in ballo un appalto per il Nuovo teatro comunale di Firenze, ma il sindaco in carica, Domenici, stando a quanto dicono quelli dell'azienda, si è rivelato inutile. Bisogna cercare altrove le sponde necessarie affinché l'affare vada in porto. Nel gennaio del 2008 Di Nardo riflette al telefono con l'architetto Marco Casamonti: «L'unico aggancio vero, forte, può essere il Nardella, che è nella segreteria di Chiti». Gli altri «sono fave, non gestiscono un cazzo»: è inutile insistere su Domenici, meglio puntare sul futuro sindaco. Lo stesso giorno Di Nardo chiama anche l'architetto Di Benedetto, il quale gli consiglia, come scritto, di avvicinare Nardella.

Da quel momento il primo cittadino ora in carica non uscirà più di scena. Nel 2009 Renzi lo vuole come vicesindaco. Non è particolarmente amato dagli altri petali del Giglio magico, ma di lui l'attuale premier ha considerazione, lo ritiene un pretoriano affidabile seppur indipendente: forse anche per questo verrà poi allontanato da Roma e rispedito a Firenze a fare il sindaco, una volta completata la presa del potere di Renzi. È l'unico nella sua cerchia ad avere una tradizione di sinistra ed è anche il solo ad avere un curriculum e un'esperienza di politica reale alle spalle.

Nel dicembre del 2013 Nardella, come deputato (è entrato in parlamento a seguito delle elezioni politiche del 2013), avvia sotto traccia e in gran segreto un dialogo con Renato Brunetta, capogruppo di Forza Italia, per trovare un accordo sulla riforma della legge elettorale tanto cara all'amico Matteo. I due si incontrano di frequente, comparano i diversi sistemi di voto esteri che potrebbero essere presi a modello. Si vedono a Roma ma anche a Firenze. Nardella agisce, però, all'insaputa di Renzi e non sa che il suo capo nel frattempo sta già trattando con l'altra parte. Il suo interlocutore è da tempo Denis Verdini. Insieme, oltre alla riforma elettorale, stanno per partorire il Patto del Nazareno. I loro sono incontri segretissimi, quasi carbonari.

Quando a metà dicembre il futuro sindaco pensa di aver raggiunto ormai un accordo di base con Brunetta, corre da Renzi a raccontargli del lavoro svolto. Va a cercare la meritata riconoscenza del capo. Riconoscenza che però non arriva. Anche in questo caso Renzi evita di essere esplicito e non rivela al fidato collaboratore i suoi rapporti con Verdini. Del resto è lui il leader, mica Nardella, pertanto può agire liberamente e senza dare spiegazioni a nessuno. Non ha rivali interni né c'è qualcuno in grado di ostacolarlo.

Qualche problema, invece, ce l'ha Verdini, che all'interno di Forza Italia ha parecchi nemici. A guidare la fronda è proprio Brunetta. Così, quando di lì a poco lo stato maggiore del partito di Berlusconi si riunisce, l'ex ministro prende la parola e con soddisfazione rivela i suoi colloqui col deputato Pd e indica quella come la strada maestra. Stando a quando riporta Massimo Parisi nel suo libro *Il patto del Nazareno*, Verdini a quel punto lo prende a male parole: la riunione finisce quasi in rissa. L'ex macellaio insiste affinché cada subito l'ipotesi Nardella. Non vale la pena, dice. È fatica e tempo sprecato. Brunetta si agita. Esasperato allora Verdini estrae dalla tasca il cellulare e mostra un sms: «Non trattate di legge elettorale con Nardella». Mittente: Matteo Renzi. Sarà Brunetta a darne notizia al vicesindaco interrompendo, ovviamente, la discussione sulla legge elettorale.

Il fidato Nardella, dunque, è meglio che stia a Firenze a intessere rapporti per conto del capo. Nel capoluogo toscano, come abbiamo visto, ha buone entrature con il generale della Guardia di finanza Michele Adinolfi. I due, il 5 febbraio 2014, pranzano insieme nel ristorante romano Taverna Flavia. Con loro ci sono anche Vincenzo Fortunato – come anticipato, ex capo di gabinetto del ministro Tremonti e presidente di Invimit, società di gestione del risparmio del ministero dell'Economia che, fra le altre cose, amministra immobili pubblici – e Maurizio Casasco, presidente dei medici sportivi (Fmsi). È Fortunato a voler conoscere Nardella e per farlo interpella proprio Adinolfi. Al tavolo con loro ci sono anche le cimici della Procura di Napoli che stanno indagando sulla metanizzazione di Ischia e i presunti appalti truccati che porteranno diverse persone in carcere.

Dalle conversazioni emerge una familiarità particolare tra il generale e Nardella. Ognuno a pranzo parla liberamente, nonostante Fortunato non sia un «componente» del loro giro. Si discute su quanto sta accadendo a Roma, della volontà di Renzi di conquistare la poltrona ancora occupata da Enrico Letta; citano poi Giulio Napolitano, figlio dell'allora capo dello Stato. «Giulio oggi a Roma è tutto, o comunque è molto» dice Adinolfi. «L'ex capo della Polizia Gianni De Gennaro e Gianni Letta ce l'hanno per le palle, pur sapendo qualche cosa di Giulio.» Qui, annotano gli inquirenti, il generale si riferisce al padre, l'ex presidente della Repubblica. «A causa di informazioni riservate di cui dispongono, sia De Gennaro che Letta sono in grado di poterlo influenzare.» Poi interviene Fortunato, che si lamenta del solito sistema dei favori, dei raccomandati e definisce Giulio Napolitano il «dominus», aggiungendo che «tutti sanno che lui ha un'influenza col padre».

Parlano poi delle elezioni anticipate e della legge elettorale. Nardella si dice propenso alla riforma e poi al ricorso al voto; spiega che intanto hanno «chiuso il cerchio delle amicizie fiorentine» e annuncia che l'indomani mattina «Renzi dovrebbe chiedere le dimissioni» di Letta. Del resto, aggiunge l'attuale sindaco, «oggi Letta che cosa può fare? Anche un Letta bis, che consenso ha nel paese per poter fare una riforma? C'ha proprio questa cultura andreottiana [...]. Mi dà l'impressione che sta attaccato alla seggiola, come si dice in Toscana».

Due settimane dopo, Letta non accetterà neanche un ministero e, a seguito dell'addio a Palazzo Chigi, lascerà pure il parlamento. Insomma, i detti toscani a Nardella – che di fatto è nato a Torre del Greco – sfuggono proprio. Ciò che non gli sfugge invece è il carro di Renzi, sul quale rimane ben piantato, a spese di Eugenio Giani.

Per farlo tornare su quella poltrona (prima come vicesindaco e poi, dopo le consultazioni, come sindaco), Renzi deve compiere un girotondo di nomine che a Firenze non si vede dai tempi in cui il Pci gestiva ogni ente. La prima a farne le spese è la vicesindaco Stefania Saccardi, che viene trasferita in fretta e furia in Regione come vicepresidente. «È semplicemente il gioco democratico» spiega in quell'occasione Renzi, garantendo: «Non mi sono scelto il successore, lo scelgono i cittadini».

Nel frattempo altre teste capitolano lungo il cammino per Palazzo Vecchio.

Il Sexgate fiorentino

«C'è chi non vuole il suo ritorno in politica.» In Procura a Firenze, tra pm e avvocati, si giustifica così l'esistenza di un fascicolo ancora aperto nel 2016 a carico di Massimo Mattei, assessore comunale con delega a Mobilità, manutenzioni e decoro nella giunta Renzi. Fascicolo avviato nel 2015 e relativo a fatti avvenuti tra il 2011 e il 2012, quando Palazzo Vecchio pare diventato un «troiaio», come dicono gli eredi di Dante.

La magistratura scopre un giro di prostituzione gestito da un gruppo ristretto di conoscenti che sembrano usciti dal film *Amici miei*: un orologiaio, un albergatore, l'immancabile giornalista locale e tanti numeri di telefono di altri vitelloni interessati a «incontrare» ragazze in camere d'albergo, tra cui dipendenti comunali, pizzicagnoli e cronisti di un quotidiano locale. Epicentro dello scandalo, l'hotel Mediterraneo, gestito dai fratelli Marco e Simone Taddei che, secondo le accuse iniziali, avrebbero accolto 140 giovani dell'Est e 200 tra massaie e studentesse interessate ad arrotondare grazie a clienti della Firenze bene. «Capo puttaniere», come si pavoneggia di essere soprannominato, l'orologiaio Franco Bellini detto «Franchino».

«C'ho l'Adriana qui che l'è tutta 'n'bollore.» Quando Adriana Jonita si presenta, «Franchino» apre la rubrica e chiama gli amici di una vita. Dipendenti comunali, pizzicagnoli, giornalisti. Qualche volta li piazza nelle stanze sicure degli alberghi, come il Mediterraneo, altre, direttamente nella sua bottega. «Si tira giù la serranda e fai i tu' comodi.» Nello scandalo, che viene ribattezzato il «Sexgate fiorentino», finiscono indagate quattordici persone, tra cui un dipendente comunale che, anziché nella piccola alcova dell'orologiaio, ha preferito «ospitare» Jonita, romena di quarantadue anni che a Firenze, negli ambienti, era soprannominata «l'ape regina», direttamente negli uffici dell'assessorato. I due, però, si fanno sorprendere dalla donna delle pulizie: «Non hai idea, che figura m'ha fatto fare quello lì» dice Jonita intercettata. La notizia esce sui giornali. «Ho moglie, figlia: ci son le indagini, vedremo ma io so di non aver fatto nulla di male» si difende il dipendente di Palazzo Vecchio.

Le ipotesi d'accusa iniziali sono associazione a delinquere finalizzata allo sfruttamento della prostituzione. Per gli indagati il pm chiede in un primo momento le misure detentive. Nelle quattromila pagine dell'ordinanza avanzata dal pubblico ministero Giuseppe Bianco e dal procuratore capo Giuseppe Quattrocchi, si cita, oltre al dipendente comunale, anche un custode di Palazzo Vecchio sorpreso in una stanza del Comune con una ragazza. Da quel momento iniziano a circolare voci in città che sia coinvolto anche qualche politico. Quando il giudice per le indagini preliminari rigetta le misure cautelari avanzate dai magistrati, questi, per suffragare la loro tesi investigativa, allegano documentazione aggiuntiva non presente nella prima istanza.

Da un appunto allegato ai nuovi atti salta fuori il nominativo di un assessore che, in seguito, si scoprirà essere estraneo alla vicenda. Su quel foglio nome e cognome sono stati coperti alla bell'e meglio con un colpo di bianchetto. Si leggono solo le prime lettere: «Mas». Liste alla mano, può essere solo Massimo Mattei che, guarda caso, proprio pochi giorni prima si è dimesso per motivi di salute. È un attimo: per molti diventa il politico delle escort. Le dimissioni? Secondo alcuni quotidiani locali – alcuni «pennivendoli», accolti poi sul carro renziano verso Roma, spiccano per la violenza dei toni usati nei confronti di Mattei – l'uomo avrebbe lasciato Palazzo Vecchio proprio perché coinvolto in quel giro di prostituzione. In realtà, subito dopo aver formalizzato la rinuncia all'incarico pubblico, l'ex assessore è stato veramente ricoverato in ospedale.

Quando Mattei presenta le dimissioni al sindaco, motiva la scelta sostenendo che per ragioni di salute non potrà più garantire i ritmi tenuti negli ultimi otto anni. Mattei, infatti, è al fianco dell'attuale premier già dai tempi della Provincia. Una persona fidata. E proprio in virtù di questo rapporto Renzi potrebbe decidere di congelare le sue dimissioni, tenerle in sospeso ridistribuendo temporaneamente le deleghe ad altri membri della giunta e aspettare che si rimetta. Invece no, il sindaco le accetta subito e lo sostituisce in appena un giorno con Filippo Bonaccorsi, a cui, una volta al governo, affiderà il piano per gli interventi sulle scuole.

E dire che Mattei è stato fondamentale per l'ascesa politica del presidente del Consiglio in carica. L'amicizia tra i due ha radici lontane: nasce nel 1999 sul palco del congresso provinciale della Margherita. Mattei è già consigliere comunale di Firenze del Pds, da poco trasformato in Ds. Quando va a fare visita ai futuri «soci» politici per portare il saluto dell'amministrazione è il momento dell'intervento di Renzi. Il giovane segretario provinciale fa una relazione che, a dire dello stesso Mattei, «è di tre livelli superiore a quelle dei presenti», parlamentari inclusi. In lui riconosce da subito il campione. È un volto a colori nel film in bianco e nero dell'allora centrosinistra toscano. Mattei è più anziano di lui di appena quattro anni e, a differenza sua, ha una storia politica scandita dai circoli Arci e dalla scuola di formazione quadri del Pci. Nel 2004, dopo dieci anni di esperienza in consiglio comunale, i vecchi del partito lo candidano in Provincia ma, poiché è a loro inviso, decidono di piazzarlo nei due collegi in cui la sinistra non ha mai vinto. Mattei però ribalta i pronostici. «Oh tu sarai mica così bravo davvero?» lo sfotte stupito Meme Auzzi, il segretario provinciale dei Democratici che in precedenza ha composto le liste.

Meme Auzzi è lo stesso che in quei mesi decide di parcheggiare Renzi alla presidenza della Provincia. L'allora sindaco di Firenze Domenici, infatti, in privato gli consiglia: «Mettiamo questo presuntuosetto a farmi da vicesindaco». Il segretario inizialmente ci pensa. Ma quando l'attuale premier, nella consueta spartizione delle poltrone da sindaco, gli chiede per il suo partito sei Comuni, sapendo benissimo che non glieli concederà mai – la Margherita allora viaggia attorno al 5 per cento e i Ds superano abbondantemente il 50 per cento –, Auzzi è costretto a rifiutare e a chiedergli cosa vorrebbe in cambio. Renzi a quel punto pretende la presidenza della Provincia.

Mattei assiste all'intera vicenda. Si diverte. Trova quel ragazzo decisamente in gamba e svelto. Una volta eletto a Palazzo Medici Riccardi, sede della Provincia, l'attuale premier dimostra subito la propria abilità politica: nella sua maggioranza ha sedici consiglieri Ds – di cui quindici che gli remano contro, a eccezione proprio di Mattei – e solo tre della Margherita. Ecco allora che nomina assessori alcuni dei dissidenti, liberando così posti chiave in Consiglio. Quegli stessi assessori verranno poi fatti fuori dalla giunta. In sei mesi Renzi si ritrova con una maggioranza a lui completamente favorevole. Un esempio? Alessandro Martini: allora è consigliere provinciale e viene chiamato da Renzi nella squadra dell'esecutivo per far posto al primo dei non eletti. Martini sarà poi fatto fuori.

A Mattei la rapidità del nuovo amico piace. E la «folgorazione» è corrisposta: dal 2006 Renzi lo vuole come presidente del consiglio provinciale. L'anno successivo, in occasione della prima cena di raccolta fondi organizzata dall'attuale premier attraverso la sua associazione Noi Link, uno dei «reclutatori» è proprio lui, anche se la parte del gigante, sul fronte soldi, la fa un giovane Marco Carrai: in poco più di un anno mettono insieme quasi settecentomila euro. Una cifra enorme per la Margherita di Firenze.

Il rapporto di fiducia tra i due si rinsalda sempre di più. Renzi ama i comizi e il consenso ma non ha tempo per coltivare i rapporti con alcune realtà cittadine. Nessun problema, ci pensa Mattei, che per lui rappresenta un'altra fondamentale garanzia: è cresciuto in federazione, è ritenuto l'ultimo giovane del Pci e questo basta per avere pieno sostegno da parte dei vecchi comunisti del partito. Tre in particolare: Giorgio Raso, Antonio Romei e il presidente provinciale dell'Associazione nazionale partigiani d'Italia (Anpi), Silvano Sarti. Quelli che, per capirci, quando prendono la parola, intorno si fa silenzio. Non a caso Renzi inaugurerà il museo cittadino della Resistenza e la sua giunta sarà l'unica ad avere tutti gli assessori iscritti all'Anpi.

Nel 2008, quando l'attuale presidente del Consiglio decide di correre a Palazzo Vecchio, uno dei pochi con cui si confronta per definire il percorso è proprio Mattei, che infatti viene reclutato da subito come responsabile elettorale di primarie e comunali, mentre quello amministrativo per la corsa a sindaco è il solito Marco Carrai. Il partito le prova tutte per fermarli, ma invano. Gli alti papaveri inventano anche un doppio turno col 40 per cento: soglia che il giovane della Margherita supera per lo 0,16 per cento evitando così il secondo giro. Molti dei voti «conquistati» dal futuro primo cittadino dipendono proprio da Mattei, il quale viene ricompensato, dopo la presa del Comune, con un superassessorato strategico, come appunto quello al Traffico, ai lavori pubblici e al decoro.

Non basta. Perché Mattei si spende anche per la rottamazione. Parte dei discorsi, degli interventi, degli spunti con cui Renzi dal settembre del 2010 inizia a raccogliere consensi fuori dalla Toscana vengono partoriti dalla mente dell'ex comunista, che lo segue fino alle primarie contro Pier Luigi Bersani del dicembre 2012.

Il legame tra i due è profondo. Di fiducia totale. Ci sono molte foto a dimostrarlo. Di appuntamenti e momenti privati. Visite in Versilia dove Mattei ha una casa e molto altro. Nel marzo del 2013 l'amico scopre che ci sono alcuni paparazzi a Firenze che pedinano Renzi nella speranza di «beccarlo» con foto compromettenti, magari in compagnia di Maria Elena Boschi. In quel momento, infatti, il sindaco si è già imposto sulla scena nazionale e gira insistente la notizia di una presunta relazione clandestina tra lui e la giovane aretina. Gossip puro, ma i paparazzi fanno il loro mestiere. Mattei si accorge della loro presenza perché gestisce alcune cooperative che ospitano anziani e una di queste è in via degli Alfani, proprio a pochi passi dall'appartamento in cui risiede Renzi a Firenze, al civico 8, pagato – si scoprirà poi – dall'amico Carrai. Mattei si accorge degli appostamenti e avvisa il numero uno di Palazzo Vecchio, che sembra disinteressarsene. La risposta arriverà dal suo entourage: «Dice Matteo di fare attenzione te, non ai fotografi: alle escort».

A giugno, quando il «Sexgate fiorentino» deflagra nella sua interezza, si capisce perché Mattei ci è finito dentro pur essendone estraneo. Prima del dilagare dello scandalo, infatti, l'uomo viene contattato da Adriana, l'«ape regina», che ha bisogno di aiuto: lavoro, casa, tutto. Lui, come ha fatto con

altre decine di persone, si interessa e riesce a trovarle una siste-
mazione presso una delle sue cooperative. Una stanzetta per
vivere, insomma. Sì, le intercettazioni sono zeppe di «tesoro»
e «amore», ma dalle stesse conversazioni si capisce che certi
epiteti e nomignoli l'assessore li utilizza regolarmente anche
con altri, Renzi compreso. «Io non sapevo nulla di quello che
faceva Adriana, né fuori né tanto meno dentro la casa che le
avevo dato; per me era una persona in difficoltà che ho aiutato
come ho fatto con molti altri» spiega. Tant'è che, per gli inquirenti, Mattei è totalmente estraneo al giro delle escort già nel
2013. Eppure su di lui, nel 2015, viene aperto un fascicolo per
prostituzione relativo a fatti risalenti ad anni prima.

L'inchiesta incombe come un macigno sulla vita dell'ex
assessore: quando serve, qualcuno gliene ricorda l'esistenza.
Come alle amministrative che porteranno all'elezione di Nardella: l'ipotesi di una sua candidatura naufraga subito. O
come in occasione della tornata regionale della primavera del
2015, quando l'ex comunista viene avvicinato dalla sinistra
radicale. Mattei non ha il tempo neanche di rispondere «no
grazie» all'offerta: una mattina trova nella cassetta della posta
una busta formato A4 indirizzata alla moglie. Dentro ci sono i
brogliacci di tutte le intercettazioni che lo riguardano. Colloqui ritenuti ininfluenti al fine delle indagini già nel 2013. Ma
qualcuno li ha conservati.

Ascesa e caduta di Graziano Cioni

«Rimettiti presto», «un abbraccio». All'inizio di febbraio del
2016 l'ex senatore del Pci, e padre della sinistra toscana, Graziano Cioni è fuori pericolo. Dopo un malore improvviso e il
ricovero d'urgenza, quattro by-pass gli permettono di continuare a vivere. Il giorno successivo all'operazione i primi messaggi di pronta guarigione li riceve da Marco Carrai e Luca
Lotti, i due fedelissimi di Matteo Renzi con i quali lui, in
realtà, non ha mai avuto grandi rapporti. L'ultima volta che

ha visto di persona il grande finanziatore del premier neanche se la ricorda, mentre l'incontro più recente con il sottosegretario alla Presidenza del Consiglio risale al giugno del 2015, quando quest'ultimo aveva insistito per andarlo a trovare nella sua casa di Empoli. Un faccia a faccia di un'oretta di cui Cioni non ha mai capito il motivo: «M'ha parlato di tutto e di niente, della Boschi, dei Palazzi, di quel che fanno e comandano e gestiscono a Roma, bah». Certo è che pochi giorni prima, lo stesso Cioni, scrive sul suo profilo Facebook alcuni ricordi legati alla stagione renziana a Firenze, sottolineando come Lotti fosse «l'uomo dei caffè». «Quando andavi a trovare Matteo lui chiamava Luca e gli chiedeva: "Ce li fai du' caffè? Ma boni, eh".» Ancora: «Lotti è nato e vissuto a Samminiatello e quando si è occupato delle primarie per il candidato sindaco di Montelupo non ha fatto un figurone. Forse è l'aria di Montelupo, perché nella capitale si occupa con successo di questioni molto delicate e complesse». Insomma, ironia. Sarà stato forse questo a spingere il sottosegretario – con un passato professionale, come già detto, limitato a un incarico da allenatore della squadra di calcio femminile di Montelupo – a presentarsi a casa di Cioni, magari per fargli vedere che il ragazzo dei caffè a forza di tazzine ha conquistato l'auto blu e un posto a Palazzo Chigi.

Nato a Empoli nel 1946, licenza media, cresciuto a pane e comunismo nelle case del popolo, Cioni matura politicamente nel Pci di Enrico Berlinguer. Assessore provinciale nel 1975, poi in Comune nelle giunte Elio Gabbuggiani e Massimo Bogianckino, in seguito deputato, senatore per due mandati, infine di nuovo assessore dal 1999 al 2009 nelle due giunte Domenici delle quali è considerato la vera mente. In quasi cinquant'anni di esperienza politica Cioni ne vede di tutti i colori e partecipa a mille battaglie, sempre rispondendo al partito. Quando gli chiedono di andare ad aiutare i «compagni» in occasione del disastroso terremoto in Friuli, lui va di corsa. Dorme per sei mesi in una specie di camper con due sconosciuti. Ci si scalda a suon di grappa. Uno dei nuovi compagni alza spesso il gomito. Cioni una sera lo canzona: «A te quando tu mori un ti seppelliscano mica, t'imbottigliano».

D'altronde è fatto così: la cosa più bella della politica per Cioni è il contatto con le persone. Ama raccontare, ad esempio, di quel suo compaesano di Empoli che riesce sempre a farsi beffa dei vigili urbani. Una volta, come l'amico parcheggia l'Ape Piaggio fuori dalla chiesa, ecco che arriva subito «l'omino» in divisa ad avvertirlo: «Ohi, coso, guarda che qui l'Ape ferma non ci pole stare». E lui, di rimando: «Ah no? L'Ape ferma costì un ci pole stare? E allora *tentennala*». Cioè scuotila.

Ma Cioni non è solo ironico. Rammenta anche di quando nei primi anni Ottanta saltano fuori le liste della P2 con i nomi dei toscani iscritti alla loggia e lui, parlamentare, fa le barricate per pubblicare gli elenchi su «l'Unità». Lo scontro più acceso è con Giorgio Napolitano, all'epoca presidente della commissione d'inchiesta, che segreta tutto e non ne permette la diffusione. Cioni alla fine riesce a consegnare lo stesso l'incartamento al quotidiano, che dà alle stampe un allegato speciale per l'edizione regionale. Un modo facile per farsi parecchi nemici.

«Il Cioni», come lo chiamano a Firenze, da vicesindaco nella giunta Domenici ha mani libere e tanto potere. Ma non è il tipo da accettare compromessi o mazzette. Nel 2001, per citare uno dei casi di cui è protagonista, fa arrestare Adelaide Ramacci, una consulente della società telefonica Albacom che vuole allungargli una tangente per agevolare alcune pratiche di concessioni: 180 milioni di lire per ottenere al più presto l'autorizzazione alla posa di una linea a fibra ottica per un tratto di tre chilometri. Cioni avvisa Stefano Filucchi, all'epoca responsabile dell'ufficio Città sicura del Comune e oggi responsabile sicurezza della squadra di calcio dell'Inter, e insieme vanno in procura. In accordo con le forze dell'ordine organizzano un altro incontro con la signora Ramacci, che si presenta puntuale nell'ufficio del vicesindaco. «Arrivò con un gran sorriso, frugò nella sua borsa e tirò fuori una busta. Me l'ha messa sul tavolo e ci ha scritto sopra "30"» racconta Cioni. Lui la apre: «C'erano trenta milioni di lire. Lei mi fa, sempre sorridendo: "Cinquanta a giugno, cinquanta a luglio e cinquanta ad agosto"». A quel punto il politico gioca il ruolo che gli piace di più: quello dello sceriffo. Le chiede: «Lei sa che sono uno che ha già mandato dentro una persona che mi aveva offerto una tangente?». La donna bofonchia qualcosa ma, prima che possa proferire parola, Cioni chiama i Carabinieri che sono in ascolto nella stanza accanto. «Maresciallo, qui ci sono trenta milioni.» E la signora finisce in manette. Sarà arrestata di nuovo l'anno successivo sempre per corruzione. Questa volta di alcuni amministratori di Scandicci e Lastra a Signa.

Anche per questo Cioni a Firenze gode di un consenso smisurato. Nel 2009 ha le carte in regola per essere l'erede naturale di Domenici alla guida della città. E lo crede anche Matteo Renzi. Chi è restio è il Pd. Roma ha deciso, infatti, che a Palazzo Vecchio debba andare Lapo Pistelli. Quando a settembre dell'anno prima Cioni decide di sfidare tutti, Pistelli compreso, viene subito convocato dall'allora segretario del partito, Walter Veltroni.

«Mi vuole parlare anche Veltroni, io ci vado a parlare purché mi dica che non sono più le primarie che decidono, siamo tornati al 1999 e glielo dico sul viso: "Oh biondino, non mi convinci più"» confida Cioni all'assessore Tea Albini nel corso di una telefonata intercettata dagli inquirenti. Chiama anche Renzi, in quel momento ben lontano dall'ufficializzare la sua candidatura alle primarie, e gli fa: «Parlerò con Veltroni, non posso dire di no, è il segretario nazionale. Farò dire a lui le cose e poi gli dico: se si è rinunciato a costruire un partito nuovo, che significa primarie libere, allora io *fo* una lista civica e tu ti assumi la responsabilità».

Sempre a Renzi confida che Domenici gli ha chiesto di fare un passo indietro ma lui ha reagito male e ha risposto: «Se non mi candidano, io annuncio la lista civica, è chiaro? Questo è un treno, se io rimango a piedi dopo la battaglia che ho fatto perdo anche i sostenitori che ho».

A rinunciare, dunque, «il Cioni» non ci pensa proprio, nonostante le pressioni di chi tenta di dissuaderlo, nel timore che la sua candidatura metta a rischio la vittoria di Pistelli, l'uomo su cui punta il Pd. Ma il Partito democratico non ha fatto i conti con Renzi. L'allora presidente della Provincia sa benissimo che, tra i vari candidati, l'unico a poterlo impensierire è proprio Graziano Cioni, al quale, al telefono, garantisce il sostegno. E anche quando l'attuale premier ufficializza la candidatura, confida all'amico comunista: «Se vinco io tu mi fai da vicesindaco o altrimenti viceversa».

Tutto cambia il 18 novembre 2008, quando la Procura di Firenze fa scattare le perquisizioni per Salvatore Ligresti e il suo assistente – l'avvocato Fausto Rapisarda –, e due componenti della giunta Domenici: Gianni Biagi, assessore all'Urbanistica e Graziano Cioni, assessore alla Sicurezza, insieme al capogruppo del Pd in Comune, Alberto Formigli: tutti indagati per corruzione. I carabinieri del Ros si presentano al palazzo municipale su mandato del procuratore Giuseppe Quattrocchi, titolare dell'inchiesta insieme ai pm Giuseppina Mione, Giulio Monferini e Gianni Tei.

Nonostante la *bagarre* giudiziaria, Cioni non molla e garantisce che non rinuncerà a partecipare alle primarie. Renzi nel frattempo attacca frontalmente anche lui. Come Pistelli. Cioni cerca di resistere fino a quando a casa della sua seconda moglie non viene recapitato lo stato di famiglia di una terza donna di cui lei non ha mai sentito parlare. La signora però conosce bene, benissimo, il cognome di quella bambina di poco più di un anno riportato sul certificato. Cioni ha riconosciuto come padre la piccola. Il messaggio per lui è fin troppo chiaro: usata a riprova di una presunta paternità extraconiugale, quella notizia avrebbe distrutto la campagna elettorale di chiunque, figurarsi di un candidato avverso al partito. Lì si ferma la sua corsa e decide di ritirarsi.

Il 15 aprile 2009 la figlia maggiore di Cioni, Beatrice, interviene in occasione dell'incontro di Renzi con la Sinistra fiorentina in programma nella sala convegni dell'albergo cittadino Otel. Un discorso che, riascoltato oggi, fa capire quanto la donna conoscesse fin troppo bene l'attuale presidente del Consiglio.

«Io sono un po' in difficoltà perché ho scelto di stare nel Pd perché doveva essere un grande partito che univa due grandi progetti, i Ds e la Margherita. Doveva essere un moltiplicatore di energie. Invece mi sono ritrovata in un partito che dire diviso per correnti è quasi un complimento. È un insieme di interessi personali. Non aggregano le idee, qui a essere aggregato è qualcosa d'altro. Sono in difficoltà perché mancano anche gli spazi di discussione, si parla solo di chi sostiene chi e qual è il personaggio che conviene seguire per fare carriera» esordisce la giovane Cioni. «Io sono atea, fortemente laica, gli spazi di discussione li cerco perché non ho verità, a me basterebbe il confronto: il confronto in questo partito manca.» E prosegue rivolgendosi a Renzi che siede in prima fila: «Come posso essere rappresentata io da un sindaco come te? Non ci possono essere oggi tue parole che mi rassicurino. Come faccio io a votarti? Io ho bisogno di sapere che in quel consiglio qualcuno con le mie idee c'è, che non imbroglia solo con le parole: non mi bastano». E poi conclude, cercando con lo sguardo Renzi che la evitava preferendole un notes appoggiato sulle ginocchia: «Così a pelle mi stai simpatico, ma a pelle non mi basta più. Vorrei chiarezza su come si governa questa città. Non metto dirigenti che magari mi sono stati utili in campagna elettorale. Sei tanto simpatico, caro Matteo, ma di te e basta non mi fido».

Nel marzo del 2013 Cioni – insieme a Ligresti e agli altri indagati nell'inchiesta Castello – viene assolto in primo grado. Nell'ottobre del 2015, in Appello, la sentenza viene modificata con condanne comprese tra i due anni – per il costruttore – e due mesi, per l'ex assessore Biagi. Per Cioni vengono chiesti tredici mesi. Quest'ultimo ricorre in Cassazione, certo della sua innocenza, da sempre professata. Di fatto è accusato di aver ricevuto da Ligresti dei fondi – in chiaro – che avrebbe utilizzato per un'associazione caritatevole fiorentina che aiuta i poveri della città. Gli altri capi d'imputazione sono caduti. In compenso Cioni, oltre ad aver rinunciato a diventare sindaco, si è gravemente ammalato: ai by-pass si è aggiunto quello che lui ha ribattezzato «il mio inquilino inglese», il morbo di Parkinson.

Le inchieste della Procura di Firenze su Cioni e Mattei di fatto liberano la strada al rottamatore e al suo erede sindaco Dario Nardella. Dopo otto anni, il 6 maggio 2016, Cioni è stato assolto dalla Corte di cassazione perché il fatto non sussiste; Mattei fa l'imprenditore a tempo pieno.

A Mattei la politica manca: per lui è una passione innata, ma preferisce ormai rimanerne fuori, la ritiene una bellissima fidanzata fuggita via. Tutt'oggi ha buoni rapporti con Renzi.

Dario Nardella nel frattempo è diventato sindaco di Firenze e il procuratore capo Giuseppe Quattrocchi è consulente di Palazzo Vecchio.

Da Mafia Capitale alla fondazione Open

Il finanziamento di Salvatore Buzzi

«Abbiamo consegnato alla Boschi la lettera per Matteo.»

Alle 22.05 del 7 novembre 2014 Salvatore Buzzi, presidente delle coop romane e braccio finanziario di quella che di lì a poco sarà denominata Mafia Capitale, telefona a una sua amica dal Salone delle Fontane dell'Eur, dove è in corso la cena di raccolta fondi del Partito democratico organizzata da Matteo Renzi. Buzzi ha versato quindicimila euro per avere un tavolo a pochi metri dal premier.

Le intercettazioni sono agli atti dell'inchiesta sulla presunta cupola criminale che controlla politica e appalti e che, in due mandati di arresti, tra il dicembre del 2014 e il giugno dell'anno successivo, ha smantellato il Pd romano. A libro paga di Buzzi ci sono dal presidente dell'Assemblea capitolina Mirko Coratti all'assessore alla Casa Daniele Ozzimo, più altri membri della giunta, consiglieri e presidenti di Municipio.

Le trame della tela le rivela lo stesso Ras delle cooperative in cinque diversi interrogatori avvenuti nell'estate del 2015 nel carcere nuorese di Badu 'e Carros. Il 23 luglio il procuratore aggiunto di Roma Michele Prestipino e il sostituto Paolo Ielo, in una sola domanda, sintetizzano quanto potere Buzzi abbia allora in Campidoglio: «Lei ha riferito che la nuova amministrazione comunale le aveva posto a carico i costi di quattro o cinque assessori, diciotto consiglieri comunali e quattro o cinque presidenti di Municipi».

Il presidente della Cooperativa 29 giugno punta ancora più in alto: direttamente a Matteo Renzi e ai suoi uomini. Quando i magistrati gli chiedono il motivo del finanziamento, Buzzi spiega: «Io gli finanzio la campagna elettorale, così se domani ho un problema lo chiamo e riesco ad avere un appuntamento». Per questo «ho dato quindicimila euro a Matteo Renzi [...]: per avere rapporti». In realtà, all'ex sindaco, il «rosso» di Mafia Capitale versa complessivamente ventimila euro: quindicimila alle casse del Pd per la cena e altri cinquemila direttamente alla fondazione Open, la cassaforte personale del premier. «Se becchi Renzi gli ricordi che abbiamo finanziato la Leopolda, potevamo dirlo alla Boschi cazzo» si lamenta Buzzi con Michele Nacamulli, esponente romano del Pd, intercettato sempre la sera della cena romana del partito.

La cassaforte renziana

Solo nel 2014 la Open raccoglie un milione duecentomila euro. Un anno record. Nel 2013, infatti, ne erano entrati ottocentomila e nel 2012 «appena» seicentomila. Chi siano i finanziatori della fondazione, però, non è dato sapere: questione di privacy. Solo chi fornisce il consenso a comunicare il proprio nome viene indicato tra i benefattori, mentre degli altri non c'è traccia. Così come mancano all'appello quanti hanno versato soldi alle altre due associazioni vicine a Matteo, Noi Link e Festina Lente, negli anni compresi tra il 2007 e il 2011: altri settecentomila euro circa di provenienza anonima.

Le associazioni servono all'attuale premier per sostenere le spese iniziali della sua ascesa politica ed entrambe verranno poi soppiantate dalle fondazioni Big Bang prima e Open poi. Quest'ultima è l'evoluzione definitiva. Nel consiglio di amministrazione, rinnovato nel novembre del 2013, siedono i petali più renziani del Giglio magico: il fidatissimo Marco Carrai, l'avvocato Alberto Bianchi, Maria Elena Boschi e Luca Lotti. I quattro custodi dei segreti del premier.

Nel 2014, con l'arrivo dell'ex sindaco al governo, la Open cambia volto. Non è più la fondazione da finanziare per sostenere un politico, scommettendo sulla sua ascesa, ma è ormai la cassaforte personale del presidente del Consiglio. Basta scorrere i nomi dei benefattori per comprenderne la mutazione. Ai privati, piccoli imprenditori, parlamentari e fedelissimi del capo si aggiungono aziende di medie e grandi dimensioni. Società le cui sorti potrebbero dipendere dalle decisioni dell'esecutivo guidato proprio da Renzi.

Un caso su tutti è quello della British American Tobacco (Bat), che versa alle casse della Open centomila euro. L'elargizione, come risulta dai resoconti finanziari, avviene dopo il 1° luglio 2014. Qualche settimana prima il premier incontra Nicandro Durante, capo della multinazionale. Motivo: è la vigilia dell'aumento delle accise annunciato dal governo con un decreto per riordinare l'intero settore dei tabacchi, che è in calo da due anni ma mostra segnali di ripresa. Tale aumento va incontro alle esigenze del big del mercato Philip Morris. Il gigante americano da tempo preme per un provvedimento generale che penalizzi le marche di fascia bassa – come Lucky Strike e Pall Mall, proprietà di Bat – a vantaggio di quelle di gamma alta, come la sua Marlboro, alzando la componente fissa dell'accisa, che è uguale per tutti e quindi pesa di più su chi vende a prezzi medio bassi. Sul piatto gli americani mettono l'investimento da seicento milioni per lo stabilimento di Zola Pedrosa, a Bologna, poi inaugurato in pompa magna da Renzi nell'ottobre del 2015.

Nelle bozze che circolano a fine giugno dell'anno prima si parla di un aumento corposo: fino al 30 per cento. Così matura l'incontro tra il ceo di Bat – che ha il 18 per cento del mercato italiano – e il premier. I tempi sono stretti perché il testo deve arrivare al consiglio dei ministri il 10 luglio. Ma salta. Per ben due volte. Solo al terzo tentativo, il 31 luglio, finalmente viene licenziato. Ma l'aumento è alquanto ridotto: l'accisa passa dal 7,5 al 10 per cento, lontano dunque dal 30 per cento richiesto da Philip Morris, che però incassa uno sconto del 50 per cento sulle sigarette di nuova generazione che produce a Bologna. A ottobre Bat – che dieci anni prima aveva acquistato l'Ente tabacchi per 2,3 miliardi – annuncia un piano di investimenti da un miliardo di euro in cinque anni. Tradotto: finisce in vantaggioso pareggio per entrambi. Ma la delega a rivedere il sistema di tassazione resta aperta: in ogni momento la partita può ricominciare.

Altro esordio di rilievo, tra i nuovi finanziatori della Open, è quello di Corporación América Italia, la holding argentina guidata da Eduardo Eurnekian. Il gigante internazionale con profitti annui da due miliardi di dollari scopre la fondazione di Renzi nell'estate del 2014 e stacca subito un assegno da venticinquemila euro. La holding gestisce tra l'altro cinquantatré aeroporti nel mondo e nell'estate del 2015 lancia un'opa totalitaria sugli scali di Pisa e Firenze. Vinta. Nel febbraio del 2016 viene deliberata l'unione dei due poli, che danno vita a Toscana Aeroporti sotto la guida – auspicata proprio da Corporación América – di Marco Carrai, già presidente di Adf - Aeroporto di Firenze, e consigliere, come risaputo, di Open.

Nell'estate del 2014, il 30 agosto, il governo stanzia per i due scali centocinquanta milioni di euro con il decreto Sblocca-Italia. Su questi ha notevoli interessi anche Alha Airlines, altro benefattore della fondazione renziana, con venticinquemila euro.

I numeri della Open

Sono poco più di cento i soggetti, privati e pubblici, che hanno firmato la liberatoria per la privacy e comunicato in chiaro il loro nome tra i finanziatori della Open. Per gli altri nessuna trasparenza. La cifra raccolta in poco più di tre anni ammonta a due milioni 803.953,49 euro: un'enormità se confrontata con i fondi racimolati da altre fondazioni prettamente politiche. Un'enormità anche rispetto ai partiti: nel solo 2014 la Open incassa più di Partito democratico, Forza Italia e Nuovo centrodestra messi insieme.

Chi ha interesse a finanziare una fondazione privata? È questa la domanda alla base della trasparenza imposta nei paesi democratici, a partire dagli Stati Uniti, dove i resoconti sono dettagliatissimi e al centesimo. In Italia no. Il nome di Buzzi e della Cooperativa 29 giugno, tra i finanziatori della Open, ad esempio, è emerso solo grazie all'inchiesta su Mafia Capitale. E così l'attento avvocato del premier e amministratore della fondazione, Alberto Bianchi, ha potuto rintracciare il versamento e rimandarlo al mittente. Se non fosse stato per la Procura di Roma si sarebbe mai saputo? Lo stesso premier ha più volte ribadito la necessità di rendere totalmente trasparenti i finanziatori di movimenti e fondazioni politiche. Eppure ancora vige il sistema per cui senza liberatoria della privacy il nome può essere celato.

Complessivamente, dal 2007 a oggi, tramite tutte le fondazioni a lui riconducibili, Renzi ha raccolto circa cinque milioni di euro. Del 50 per cento di questi è nota la provenienza. Inutile ribadire che sono fondi indispensabili alla sua ascesa al soglio governativo.

Tornando alla Open, il bilancio 2014 viene approvato il 20 giugno 2015 nello studio legale di Bianchi a Pistoia. Presenti, oltre al suddetto presidente tesoriere, il ministro per le Riforme Maria Elena Boschi, che della fondazione è direttore generale; il sottosegretario alla Presidenza del Consiglio con delega all'Editoria Luca Lotti, che della Open è consigliere, e il presidente di Toscana Aeroporti, nonché prezioso amico di Renzi, Marco Carrai, anche lui nel cda.

L'esercizio 2014 azzera tutti i debiti accumulati negli ultimi due anni, i più impegnativi della campagna elettorale permanente, avviata nel 2008 e culminata nelle primarie del 2013, con cui Renzi riesce dove appena un anno prima ha fallito: conquistare la segreteria del Pd. Basti pensare che il 2012 si è chiuso con una perdita di 535.000 euro a fronte di una raccolta fondi di ben 671.000. Non solo, l'anno della sfida a Pier Luigi Bersani è costato caro alla fondazione: un milione 231.000 euro di uscite, di cui quasi novecentomila per beni e servizi: organizzazione di eventi, campagne pubblicitarie, shooting fotografici.

Anche il bilancio 2013 si è chiuso con un deficit patrimoniale – 588.000 euro –, seppure la raccolta sia aumentata di duecentomila euro. Ma il risultato è stato ottenuto: Renzi ha conquistato il Pd e si è avviato alla scalata di Palazzo Chigi. Obiettivo raggiunto e costi eliminati.

Nel 2014 le uscite per i servizi scendono a 495.000 euro. Così come la voce per i rimborsi, per le trasferte e per gli alberghi. Quasi nulle le spese per i telefoni: da trentamila a quattromila euro. Azzerate, infine, le consulenze che in precedenza ammontavano a 180.000 euro. Del resto la campagna elettorale è finita e ora Renzi può far fronte alle spese attraverso il Pd o Palazzo Chigi. Ma la fondazione resta lì e, visto che è no profit, gli utili vengono messi nel capitale sociale.

La nota integrativa redatta da Bianchi è estremamente dettagliata. Manca solo l'elenco dei finanziatori, forse il dato più utile perché permetterebbe di rispondere alla legittima domanda: tra i benefattori c'è chi ha poi ricevuto incarichi o altri benefici dal governo? Domanda legittima, soprattutto dopo il caso Buzzi.

Alla fine del 2015 la Procura di Roma trasmette a quella di Firenze gli atti dell'inchiesta su Mafia Capitale relativi alla fondazione e le intercettazioni più rilevanti, in particolare i dialoghi con riferimenti espliciti a Boschi, Lotti e Carrai. La documentazione arricchisce un fascicolo già aperto nel febbraio del 2014 dal procuratore aggiunto Luca Turco a seguito di un esposto sui benefattori di associazioni e fondazioni renziane. Nel dicembre dell'anno successivo a Turco si unisce anche un altro magistrato fiorentino, Giuseppina Mione. Le indagini vogliono ricostruire i flussi di denaro, la provenienza dei fondi e accertare, in particolare, il ruolo di Carrai e la gestione di Bianchi. Un'inchiesta che, quando questo libro va in stampa, nel maggio del 2016, non ha individuato alcuna responsabilità né sollevato profili penali. Sicuramente sarà accertato che tutto si è svolto regolarmente e che i fondi raccolti sono stati correttamente registrati e gestiti ma è da sottolineare come il palazzo di giustizia fiorentino abbia deciso di fare il proprio mestiere e verificare correttamente il contenuto della cassaforte renziana che dal 2007 ha agito senza alcun tipo di controllo nonostante i numerosi esposti presentati nel corso degli anni.

Sul fascicolo non sono indicati né gli indagati né le ipotesi di reato. L'inchiesta mira solo a restituire un po' di trasparenza. Requisito che non dovrebbe aver bisogno dell'intervento della magistratura.

Il mutuo del padre pagato dal governo del figlio

Il passato torna a disturbare l'ex sindaco ormai accomodato a Palazzo. La Procura di Genova, che indaga per bancarotta fraudolenta il padre di Renzi, scopre che il mutuo di papà Tiziano è stato pagato dallo Stato. La vicenda è complessa e gli intrecci sono molti, come gli attori coinvolti. Tutto ruota attorno alla Chil Post, la società del padre del premier dichiarata fallita nel marzo del 2013. Secondo i magistrati liguri, Renzi senior avrebbe ceduto la parte sana dell'azienda alla Eventi 6 intestata alla moglie Laura Bovoli, società che all'epoca dei fatti aveva tra i propri soci anche Alessandro Conticini, fratello di Andrea, marito di Matilde Renzi, sorella del presidente del Consiglio e a sua volta socia nella Eventi 6.

Alla Chil Post rimangono così solo i debiti, tra cui un prestito di 496.717,65 euro stipulato nel luglio del 2009 con il Credito cooperativo di Pontassieve. Una cifra sostanziosa, concessa con un mutuo chirografario: senza accensione di ipoteche, quindi, ma basato solo su garanzie fideiussorie. A firmarlo, come direttore della filiale, c'è Marco Lotti, padre dell'oggi sottosegretario alla Presidenza del Consiglio. Ma tra i documenti presentati da Tiziano Renzi c'è la garanzia del fondo per le piccole e medie imprese di Fidi Toscana Spa della Regione Toscana guidata da Enrico Rossi e partecipata anche dalla Provincia e dal Comune di Firenze, oltre che dalla cassa di risparmio nel cui board siede Marco Carrai.

Fidi Toscana delibera la copertura dell'80 per cento e il 13 agosto 2009 l'istituto versa i soldi alla Chil. Le rate vengono regolarmente pagate per due anni. Poi la società, nel frattempo secondo gli inquirenti svuotata della parte sana e poi ceduta ad altri titolari, non rispetta più i versamenti e dichiara fallimento. Così, nell'estate del 2013, la banca, ammessa al passivo dal Tribunale fallimentare di Genova, si rivolge a Fidi ottenendo il versamento di 263.114,70 euro, l'80 per cento, appunto, dell'esposizione complessiva. E la vicenda potrebbe chiudersi qui. Invece, il 18 giugno 2014, il ministero dell'Economia delibera di rifondere a Fidi 236.803,23 euro e liquida la somma il 30 ottobre successivo attraverso il Fondo centrale di garanzia. Così il debito contratto dal padre di Renzi viene coperto dallo Stato. Nulla di illecito. Se non fosse che la società di famiglia del premier non avrebbe potuto accedere alla copertura di Fidi Toscana. Se ne accorge il consigliere regionale di Fratelli d'Italia Giovanni Donzelli, andando a rileggere la documentazione presentata dall'azienda negli anni.

Donzelli scopre che nella richiesta di garanzia è coinvolta l'intera famiglia dell'ex sindaco. Non solo il padre Tiziano, ma anche la madre Laura Bovoli e le sorelle Benedetta e Matilde. Proprio grazie al coinvolgimento delle donne di casa la copertura riconosciuta è stata superiore del 20 per cento. Incrociando inoltre la documentazione custodita in Regione Toscana, relativa alla garanzia, con quella allegata agli atti della Procura di Genova, emerge che ci sono stati dei passaggi di proprietà tra il padre e le altre componenti della famiglia: presentando la società come azienda d'imprenditoria femminile è stato possibile ottenere la copertura maggiorata del mutuo. Il regolamento per accedere alla garanzia, infatti, all'articolo 4, specifica che il beneficio è rilasciato «per un importo massimo garantito non superiore al 60 per cento dell'importo» del finanziamento, «elevabile fino all'80 per cento» in caso di prestiti rilasciati a «pmi [piccole e medie imprese, *nda*] femminili».

Nel marzo del 2009 la Chil Post ha tre soci: Laura Bovoli, Benedetta e Matilde Renzi. Il padre Tiziano ha ceduto a loro le proprie quote. Fidi Toscana accoglie la richiesta di copertura per l'80 per cento del finanziamento e lo comunica alla banca. Il 22 luglio dello stesso anno l'istituto di credito delibera il mutuo e appena una settimana dopo, il 29 luglio, le tre donne rivendono tutte le loro quote a Renzi senior, che ritorna a essere proprietario dell'attività.

Una variazione dell'assetto societario che il padre del premier avrebbe dovuto comunicare a Fidi Toscana, come impone l'articolo 19 del regolamento sottoscritto dalla Chil, parte integrante del decreto 266 del 2009 della Regione.

Ma non è l'unica variazione che avrebbe dovuto notificare. La società, infatti, subisce una rapida trasformazione.

L'8 ottobre 2010 Tiziano Renzi cede quella che i magistrati di Genova indicano come «parte sana della società» alla Chil Promozioni Srl (che dal 22 settembre 2011 cambierà nome in Eventi 6) di proprietà di Laura Bovoli, Benedetta e Matilde Renzi. Auto, contratti in essere e tfr dell'ex sindaco di Firenze: circa due milioni di euro ceduti dietro corrispettivo di 3878,67 euro. Dopo sei giorni, il 14 ottobre, Tiziano Renzi trasferisce la sede legale della società da Firenze a Genova (quindi fuori dalla regione Toscana), cambia lo statuto sociale, cede il ruolo di amministratore unico e vende la Chil Post, gravata da oltre due milioni di debiti, a Gianfranco Massone. Tutte variazioni che a Fidi Toscana non sono state comunicate.

Eppure l'articolo 19 del regolamento dice testualmente che «i soggetti finanziatori, per ogni operazione ammessa, devono comunicare le informazioni in loro possesso relative: all'assetto proprietario delle pmi; alle garanzie prestate a favore del soggetto finanziatore; alla titolarità del credito a seguito di cessioni». Mentre le pmi «beneficiarie della garanzia devono comunicare a Fidi ogni fatto ritenuto rilevante inerente all'operazione garantita, ivi comprese le informazioni di cui al presente articolo».

Nonostante il fallimento della società e l'omissione delle comunicazioni, tuttavia, Fidi ha onorato il proprio impegno e ricevuto la controgaranzia da parte del Tesoro.

Alla fine del 2015, quando tutto è venuto alla luce, il governatore Enrico Rossi si è impegnato a chiedere i soldi indietro. Mentre la Corte dei conti ha incaricato la Guardia di finanza di Firenze di approfondire l'intera vicenda iniziata il 22 giugno 2009: proprio quando Matteo Renzi si insediava come sindaco a Palazzo Vecchio ed era in procinto di assumere il fidato Luca Lotti come capo di gabinetto. Quello stesso giorno, a pochi chilometri di distanza, in quel di Pontassieve, i rispettivi papà firmavano il mutuo (in appendice pubblichiamo il documento originale).

Nel marzo del 2015 il pubblico ministero Marco Airoldi della Procura di Genova ha chiesto l'archiviazione del fascicolo per bancarotta fraudolenta a carico di Tiziano Renzi. A ottobre la gip Roberta Bossi ha respinto la richiesta e disposto ulteriori approfondimenti investigativi. Al momento in cui andiamo in stampa (maggio 2016), non si è ancora pronunciata.

L'amico delle banche

Maria Elena d'Etruria

«Non riusciamo a convincere Maria Elena a venire.»

Alle quattordici esatte dell'11 dicembre 2015 l'armata del capo, solitamente impermeabile a qualsiasi critica e difficoltà, registra la prima, imprevedibile, profonda crepa. E questo proprio nei giorni della celebrazione massima del potere ormai conquistato e difeso: durante il meeting della Leopolda, la Medjugorje del renzismo.

La notizia che tiene banco ovunque e che spaventa l'opinione pubblica riguarda l'azzeramento delle obbligazioni subordinate dei correntisti di quattro banche sull'orlo del fallimento, «salvate» da un decreto governativo: centotrentamila piccoli azionisti e ventimila *bond holders*, sottoscrittori di obbligazioni subordinate, hanno perso oltre 1,2 miliardi di euro e si ritrovano senza la possibilità di recuperare neanche un centesimo. Si tratta di Banca Marche, Carife, Carichieti e Banca Etruria. Quest'ultima ha come vicepresidente proprio il padre del ministro delle Riforme, Pier Luigi Boschi, dal marzo del 2016 indagato per bancarotta fraudolenta.

L'intero stato generale renziano in quelle ore dell'11 dicembre è riunito nel covo fiorentino da dove sei anni prima tutto è cominciato. Ci sono sei titolari di dicastero, quasi un centinaio di parlamentari, nominati in controllate varie, sindaci, vicesindaci, assessori, comparse. C'è chi tenta di avvicinarsi al carro, chi cerca di non farsi buttar giù. Manca solo lei, Maria Elena.

La madrina di tutte le edizioni dà forfait. Senza preavviso. Dovrebbe tenere la conferenza stampa di apertura della tre giorni toscana e rimanere sempre sul palco, come ogni anno, a chiamare gli ospiti, intrattenere i presenti, lanciare gli interventi, far rispettare i tempi, scandire battute: fare sostanzialmente la presentatrice. Del resto lei è il totem del renzismo ed è madrina per antonomasia di tutti i palchi che hanno portato il suo unico capo al governo, a cominciare da quello dell'auditorium del Palazzo della Gran Guardia, in piazza Bra a Verona, da dove il 13 settembre 2012 Renzi ha lanciato la sua candidatura contro Bersani. L'allora portavoce del sindaco di Firenze, Marco Agnoletti, presenta una giovane ragazza bionda, tornita e con il sorriso timido. «Voi non lo sapete, ma è bravissima. Guiderà lei i comitati di Matteo: l'avvocato Maria Elena Boschi.» Da legale in erba, grazie al sindaco, diventa presto consigliere di amministrazione della controllata Publiacqua, all'epoca guidata da Erasmo D'Angelis.

Appena due mesi dopo, Boschi viene inserita tra i quattro fedelissimi che gestiscono la cassaforte renziana e viene nominata direttore generale della ricca ma, come abbiamo visto, opaca fondazione Open, al fianco di Marco Carrai, Alberto Bianchi e Luca Lotti. Infine, dal 22 febbraio 2014, è ministro dell'esecutivo in carica. Una carriera lampo, compiuta per volontà di Renzi.

«Ha le spalle larghe, non fatevi fregare dall'apparenza»: così Renzi, da sempre, zittisce gli scettici. Ed è il primo ad arrabbiarsi quando quel giorno di dicembre la sua pupilla arretra di fronte agli attacchi invece di cavalcare, come lui insegna, lo scontro. Tanto che è costretto a salire sul palco per fare da valletta e sostituirsi a lei per l'intera giornata. «Ditele che sono arrabbiato, sta sbagliando» intima il premier ai suoi lanzichenecchi dietro le quinte della Leopolda, gettandoli ancora più nel panico.

Il clima è pesantissimo. Si aprono ventiquattr'ore drammatiche per il governo e per le truppe del capo, visibilmente incapaci di gestire l'emergenza causata dall'imprevista assenza di Maria Elena Boschi, che preferisce nascondersi nella casa di famiglia a Laterina, nella campagna a pochi chilometri da Arezzo. Proprio lì dove si trova la radice del problema.

Le accuse di un ipotetico conflitto di interessi di Boschi arrivano già a inizio 2015, quando l'esecutivo vara di tutta fretta, nel corso di un rapidissimo consiglio dei ministri, un decreto per trasformare le banche popolari, tra cui l'Etruria, in società per azioni. Il provvedimento è inizialmente contenuto nel disegno di legge Concorrenza e parcheggiato al ministero per lo Sviluppo economico. Ma il governo decide, senza preavviso, di trasformarlo in un decreto, così da accorciarne l'iter – sottraendolo ai più lenti ma precisi passaggi parlamentari – e renderlo immediatamente attuativo.

L'Etruria, in quel momento a un passo dal fallimento, tira una boccata d'ossigeno e vola in Piazza Affari registrando in pochi giorni un balzo del 66 per cento con ripetuti stop alla negoziazione per eccesso di rialzo. O meglio – come denuncia il parlamentare del Movimento 5 Stelle Alessandro Di Battista –, il titolo schizza esattamente nel lasso di tempo che intercorre tra il varo del decreto legislativo da parte del consiglio dei ministri e la comunicazione in aula dell'avvenuta approvazione.

Di questo strano rialzo in Borsa si accorge anche la Consob. L'organismo che vigila i mercati scopre che la banca ha registrato una performance positiva anche nei giorni immediatamente precedenti l'attuazione. Chi poteva sapere delle manovre politiche in atto? Giuseppe Vegas, presidente dell'authority, parla di «vendite anomale con plusvalenze per dieci milioni». La Consob avvia un'inchiesta.

Ma i numeri di Etruria parlano da soli: nel gennaio del 2010 un'azione valeva 10,69 euro, mentre il 12 gennaio 2015 ha toccato il minimo storico di 0,358. Così l'effetto positivo dura poco. La situazione finanziaria è decisamente disperata e anche l'intervento del governo si rivela inutile, tanto che il 10 febbraio, mentre ad Arezzo si riunisce il consiglio di amministrazione che dovrebbe approvare il bilancio 2014, Banca d'Italia comunica ai vertici dell'istituto che possono tranquillamente andarsene a casa: la banca è da commissariare. Principalmente per «le gravi perdite del patrimonio»: i primi dati ufficiali parlano di un'esposizione complessiva per circa tre miliardi di euro, tra sofferenze e debiti verso altri istituti, a fronte di un patrimonio netto di appena mezzo miliardo di euro. La situazione di Etruria, a quanto spiegano da Palazzo Koch, è a dir poco drammatica e i commissari calcolano il reale patrimonio netto rimasto: appena ventidue milioni. Un disastro.

Banca Etruria registra crediti dubbi alla clientela per 1,69 miliardi di euro, il livello massimo tra le banche popolari. Di questi, 770 milioni sono sofferenze. Si scopre poi che la Procura di Arezzo ha già aperto alcuni fascicoli sulla gestione della banca ed emerge che la stessa Bankitalia ha già «attenzionato» l'istituto sin dal 2010 e che nel febbraio del 2014 ha sanzionato i vertici per oltre due milioni di euro per varie carenze gestionali. E li ha poi multati nuovamente nel marzo del 2016 per altri 2,2 milioni di euro. Tra questi c'è entrambe le volte anche Pier Luigi Boschi, chiamato a pagare una multa di 144.000 euro in quanto consigliere di amministrazione e di 130.000 in veste di vicepresidente. Incarico, quest'ultimo, che aveva ricevuto dopo aver subito la prima sanzione. Appena dopo l'insediamento della figlia al governo.

Coincidenze. Sicuramente. Ma sufficienti a sollevare interrogativi sul conflitto di interessi. In un primo momento, inoltre, viene diffusa la notizia che Maria Elena Boschi abbia persino partecipato al consiglio dei ministri lampo del 20 gennaio 2015. Poi arriva la smentita: «Ero impegnata in aula». Eppure dai resoconti dei lavori parlamentari la sua presenza non risulta. Ma tant'è. Il conflitto di interessi a molti appare evidente.

Il capitolo si chiude come tanti altri: con qualche polemica ma senza alcuno scossone reale per l'esecutivo. Anzi. Il ministro arriva persino ad attestare l'avvenuto commissariamento dell'istituto voluto da Palazzo Koch come un risultato dell'operatività dell'esecutivo. Scrive su Twitter: «Il governo su proposta di Banca d'Italia ha commissariato Banca Etruria. Smetteranno di dire che ci sono privilegi? *Dura lex, sed lex*».

Magie della comunicazione.

Il Salva-banche e Truffa-risparmiatori

Le banche però non sono fatte di parole ma di numeri. Passa qualche mese e la crisi è inevitabile. Mario Draghi, da presidente della Bce, invita l'inquilino di Palazzo Chigi ad affrontare la situazione. Ci pensa il ministro dell'Economia Pier Carlo Padoan a studiare una *exit strategy*: si rivolge al presidente del Fondo interbancario per la tutela dei depositi (Fitd) Salvatore Maccarone per conoscere quale tetto di garanzia possa fornire il suo ente in caso di «salvataggio pilotato» di Etruria e degli altri tre istituti commissariati e travolti dalle inchieste giudiziarie.

Il 27 ottobre 2015 Maccarone viene sentito dalla commissione Finanze del Senato. Le sue parole sono chiarissime: «Il Fondo di tutela ha deliberato interventi imponenti, pari a circa due miliardi di euro» per il salvataggio delle quattro banche ma, «se dovessero essere rimborsati i depositi garantiti, la somma ammonterebbe a 12,5 miliardi di euro, una cifra che il Fondo non ha e non avrà mai». Eppure, prosegue Maccarone, i quattro istituti vanno salvati, altrimenti «si rischierebbe uno scossone per l'intero sistema bancario».

Alla fine di ottobre del 2015, dunque, il governo sa già che deve intervenire per evitare il fallimento delle quattro banche e tenere così in equilibrio – per quanto precario – l'intero mondo creditizio del paese. E sa già anche che non può garantire attraverso il Fondo tutti i depositi. Anzi, può salvaguardarne appena un sesto.

Ma a nulla valgono i dubbi espressi dalla Bce. Da Palazzo Chigi parte il messaggio che è indispensabile introdurre, in anticipo rispetto al resto d'Europa, il *bail in*, il meccanismo che prevede che, per il fallimento di una banca, a pagare siano in primo luogo gli azionisti della stessa, senza ricorrere ad aiuti esterni. Va fatto attraverso il decreto Salva-banche, altrimenti l'intero sistema Italia sarà messo a rischio. Renzi estrae dal cilindro una delle sue idee comunicative e spaccia il tutto come un provvedimento che permetterà allo Stato di non dover più venire in soccorso di un istituto privato. Lo dice mentre lo sta già attuando.

L'iter è sostanzialmente semplice. Da una banca se ne creano due differenti: una «buona» – *good bank* – che viene ribattezzata «nuova» e agisce partendo da zero; una «cattiva» – *bad bank* – in cui vengono infilati tutti i debiti e le sofferenze, in altre parole tutta la zavorra, che viene svalutata del 70 per cento e venduta a qualche fondo privato che poi lucrerà sul recupero crediti che riuscirà ad attuare. Ma nel frattempo le quattro banche rinascono e, garantisce lo stesso Renzi, «senza alcun rischio per i risparmiatori». Ne è sicuro.

Il pomeriggio di domenica 22 novembre 2015 il consiglio dei ministri, come qualche mese prima, si riunisce in fretta e furia e in appena quindici minuti vara d'urgenza il decreto che, dunque, anticipa di oltre un mese le nuove norme europee sul *bail in*. Alle venti in punto l'addetto stampa di Maria Elena Boschi manda un sms ai giornalisti: «Il ministro oggi non ha preso parte al Cdm. Era a Milano all'inaugurazione della Torre Allianz». Presente o meno, il provvedimento licenziato dal governo riguarda il padre. Ovviamente nei panni di ex amministratore dell'Etruria, non di genitore.

Sulla carta la norma impone agli istituti di gestire le crisi di credito utilizzando risorse private ed evitando così che il costo dei salvataggi gravi sui contribuenti e sul deficit. Saranno perciò i «proprietari», ovvero gli azionisti, i primi a rimetterci. Ma in Italia non sembra andare proprio così. Anzi. Con l'intervento del governo, questi ultimi e gli amministratori vengono salvati; i sequestri preventivi diventano impossibili e il «conto» alla fine viene pagato in primis con i 431 milioni di euro dei clienti che hanno investito, su proposta delle stesse quattro banche, in obbligazioni subordinate. Sono i clienti le prime vittime del «fallimento pilotato».

Il 25 novembre se ne accorgono le associazioni di consumatori Adusbef e Federconsumatori: «Il decreto approvato dal governo è un *bail in* mascherato e rappresenta un bagno di sangue per oltre centomila azionisti e obbligazionisti frodati, ai quali sono state appioppate obbligazioni subordinate, in massima parte senza le previste e doverose informazioni Mifid[1] sulla rischiosità dell'investimento». Si tratta di «un vero e proprio esproprio criminale del risparmio, in aperta violazione dell'articolo 47 della Costituzione».[2]

È un disastro. Ad Arezzo, come nel resto d'Italia, gli sportelli vengono presi d'assalto dai risparmiatori. Impossibile far finta di nulla anche per l'esecutivo, che però non ci mette la faccia, tanto meno lo fa Renzi. Tocca al viceministro dell'Economia Enrico Morando tentare di placare le polemiche con un annuncio: «Il governo ha avviato un'approfondita verifica circa la possibilità che siano messe in atto misure in grado di ridurre gli effetti negativi del processo di risoluzione sulla componente socialmente più debole degli investitori coinvolti». Ma nella realtà non esiste alcuna possibilità di intervento.

Alle proteste dei consumatori, agli esposti presentati in procura e alle polemiche politiche, il 10 dicembre, giorno prima della Leopolda, si aggiunge una tragedia. Un pensionato di sessantotto anni di Civitavecchia si toglie la vita lasciando una lettera alla moglie nella quale spiega il motivo della drammatica scelta: aveva scoperto di aver perso tutti i suoi risparmi, centomila euro investiti in obbligazioni subordinate di Banca Etruria. L'uomo si impicca con una corda legata alla ringhiera di un balcone della sua abitazione. La tragedia diventa un caso politico. Il leader della Lega Nord, Matteo Salvini, la bolla come «suicidio di Stato»; sempre Adusbef e Federconsumatori sparano contro l'esecutivo, colpevole di aver attuato «l'esproprio criminale del risparmio anticipato del *bail in*».

[1] La normativa Mifid (Markets in Financial Instruments Detective) sui servizi di investimento è entrata in vigore in tutti i paesi membri dell'Unione europea il 1° novembre 2007 allo scopo di garantire una maggiore trasparenza dei mercati europei e una maggiore tutela dei risparmiatori.

[2] L'articolo 47 della Costituzione recita: «La Repubblica incoraggia e tutela il risparmio in tutte le sue forme; disciplina, coordina e controlla l'esercizio del credito [...]».

Quel pomeriggio Maria Elena Boschi è attesa alla presentazione del nuovo libro di Bruno Vespa. E arriva puntuale. Accompagnata dal solito sorriso. Schiva i giornalisti, si siede al tavolo con il conduttore di *Porta a Porta* ed espone la sua difesa, spostando l'attenzione sul piano personale: «Mio padre è una persona perbene» dice. «Se è finito nelle cronache è perché è mio padre e mi spiace. Ma lo conosco, conosco la mia famiglia e affronteremo questo momento» assicura. «Il Fatto Quotidiano» le ricorda che la questione non riguarda il padre «persona» ma il padre «amministratore della banca» e le pone alcune domande sul suo interessamento all'iter legislativo che ha salvato l'istituto di credito e il suo ipotetico conflitto di interessi. Ovviamente senza ricevere risposta.

La «carezza» di Saviano

«Il conflitto di interessi del ministro Boschi è un problema politico enorme, dal quale un esponente di primissimo piano del governo del cambiamento non può sfuggire.» Se i giornali, a parte le solite rare eccezioni, fanno finta di non vedere ciò che accade in Banca Etruria, o di vedere solo ciò che possono senza disturbare Renzi, la mattina dell'11 dicembre 2015 sono tutti costretti ad affrontare l'argomento in maniera più onesta, svegliati da un intervento di Roberto Saviano pubblicato non su «la Repubblica», quotidiano per cui il giornalista scrive, ma su Post.it, la testata online diretta da Luca Sofri, che lo ospita per l'occasione.

L'articolo è durissimo. L'autore di *Gomorra* fotografa alla perfezione lo stato dell'arte nell'era renziana: i limiti della stampa, l'inadeguatezza dell'esecutivo refrattario alla trasparenza, gli ormai tanti ed evidenti vagiti di un neoautoritarismo strisciante. Il post fa il giro di tutti gli altri siti internet. Tutti. Impossibile non vederlo. «La Repubblica» è costretta, in retromarcia, a riprenderlo e a pubblicare un videocommento dello stesso Saviano. Anche Boschi e tutti gli uomini di Renzi sono obbligati, per la prima volta, a fare i conti con la realtà: non possono far finta di nulla. E si svegliano dal torpore del potere.

«Molti si sono preoccupati di dare ampia pubblicità agli impegni del ministro Boschi nella giornata in cui il consiglio dei ministri ha varato il decreto che ha salvato dal fallimento anche la banca della quale il padre è vicepresidente. Molti hanno sentito la necessità di dare ampio spazio all'alibi del ministro che, salvata la forma, ritiene di aver risolto la questione sul piano politico. Ma non è così» esordisce Saviano. «Perché la banca sia fallita, dopo essere stata oggetto nei mesi scorsi di sospette speculazioni, è compito degli organi competenti accertarlo (sempre che non si applichino al caso moratorie altrove felicemente utilizzate). *Ma il conflitto di interessi del ministro Boschi è un problema politico enorme, dal quale un esponente di primissimo piano del governo del cambiamento non può sfuggire*». Prosegue il post: «In epoca passata abbiamo assistito a crociate sui media per molto meno, contro esponenti di terza fila del sottobosco politico di centrodestra: oggi invece pare che di certe cose non si debba o addirittura non si possa parlare.»

Dopo aver così bacchettato l'immobilismo asservito e passivo della grande stampa di fronte alle nefandezze degli uomini del capo, Saviano smaschera il solito gioco renziano di fronte alle difficoltà: «È probabile che il ministro Boschi non risponda, come se il silenzio fosse la soluzione del problema. Ma questo è un comportamento autoritario di chi si sente sicuro nel proprio ruolo poiché (per ora) le alternative non lo impensieriscono». Tant'è che «se il ministro resterà al suo posto, senza chiarire, la colpa sarà principalmente nostra e di chi, temendo di dare munizioni a Grillo o a Salvini, sta tacendo o avallando scelte politiche inaccettabili».

È solo l'incipit. «Quando è iniziata la paura di aprire un serio dibattito su questo governo? Quando è accaduto che a un primo ministro fosse consentito di prendere un impegno serio sul Sud ad agosto per dimenticarlo del tutto il mese successivo?» prosegue l'editoriale.

Saviano riassume sostanzialmente tutto quello che è accaduto e sta accadendo attorno a Banca Etruria e ne fa una sorta di cartina di tornasole per l'intero operato dell'esecutivo, usandolo per mostrarne limiti, difetti, scorrettezze, inadeguatezze.

«Proviamo a immaginare per un attimo che la tragedia che ha colpito Luigino D'Angelo, il pensionato che si è suicidato dopo aver perso tutti i risparmi depositati alla Banca Etruria, fosse accaduta sotto il governo Berlusconi. Tutto questo avrebbe avuto un effetto deflagrante. Quelli che ora gridano allo scandalo, gli organi di stampa vicini a Berlusconi, forse avrebbero taciuto, ma per tutti gli altri non ci sarebbe stato dubbio: si sarebbero invocate le dimissioni. Dunque, cosa è successo? Come siamo passati dai politici tutti marci ai politici tutti intoccabili? Cosa ci sta accadendo?»

Scorrendo l'articolo si arriva a un punto dove lo scrittore prosegue con il confronto tra l'era di Berlusconi e quella di Renzi. Ai tempi del Cavaliere premier «i media facevano il proprio dovere, tutelando quelle regole democratiche alle quali il signore di Arcore e il suo codazzo si richiamavano costantemente per fare quello che gli pareva e conveniva. Cosa è successo da allora? Cosa è cambiato nel nostro modo di leggere ciò che accade? Cosa è cambiato nella nostra capacità di indignarci? Cosa ne è di quel fronte unito contro un metodo di governo? Perché era giusto sotto Berlusconi chiedere le dimissioni, urlare allo scandalo e all'indecenza ogni volta che qualcosa, a ragione, ci sembrava andare nel verso sbagliato e tracimare nell'autoritarismo? Perché sotto Berlusconi non ci si limitava a distinguere tra responsabilità giuridica e opportunità politica, ma si era giustizialisti sempre? E perché invece oggi noi stessi ieri zelanti siamo indulgenti anche dinanzi a una contraddizione così importante e oggettiva?».

L'accusa è quanto mai fondata e la stampa tutta, persino l'ultrarenziana «Unità» è costretta a dare notizia delle parole di Saviano, seppur pesantemente edulcorate dai commenti. L'intellettuale ha fatto il suo mestiere ed è riuscito a svegliare, seppur appena per qualche ora, gli animi.

«Se Berlusconi – prosegue –, che per anni abbiamo considerato causa dei mali dell'Italia, era in realtà la logica conseguenza della ingloriosa bancarotta della Prima repubblica, così la stagione politica che stiamo vivendo adesso non ha nessuna caratteristica peculiare, nessun pregio o difetto autonomo, ma nasce dalle ceneri di quella esperienza. Il che non vuol dire in continuità, ma neanche ci si può ingannare (o ingannare gli altri) raccontandoci l'incredibile approdo sul suolo italico di una nuova generazione di politici senza passato. Banalmente, questa la narrazione dei media di centrodestra, potremmo dire che, quando al potere ci sono le sinistre, si è più indulgenti. L'opinione pubblica è più indulgente. I media sono più indulgenti. È come se, a prescindere, si fidassero. Anche se ho seri dubbi che al governo ci sia la sinistra, o anche solo il centrosinistra, e nemmeno, a dire il vero, una politica moderna: dato il ridicolo (per non dire peggio) ritardo sul tema dei diritti civili. O forse le ragioni dell'attuale timidezza risiedono nell'iperattivismo del Renzi I (dato che tutti prevedono un nuovo ventennio per mancanza di alternative, forse dobbiamo prepararci alle numerazioni di epoca andreottiana) che lascia spiazzati, poiché il timore è di sembrare conservatori (con un uso improprio degli hashtag) o peggio nostalgici. Del resto come si comunica contro gli hashtag del premier senza passare per gufi o nemici del travolgente cambiamento? Ormai si è giunti a un passo dall'accusa di disfattismo. Imporre la furba dicotomia che criticare il governo o mostrare le sue forti mancanze sia un modo per fermare le riforme, che invece vogliamo, e per armare il populismo, verso cui nutriamo sempiterna diffidenza, è un modo per anestetizzare tutto, per portare all'autocensura» continua Saviano, che poi chiosa: «Che il ministro Boschi risponda e subito della contraddizione che ha visto il governo salvare la banca di suo padre con un'operazione veloce e ambigua. Lo chiederò fino a quando non avrò risposta». Punto.

Ma la risposta non arriva.

La scomparsa della madrina

«Deve reagire, chiamatela, andatela a prendere, trovatela, portatela qui» ripete furibondo Renzi ai suoi quell'11 dicembre in maniera sempre più pressante. Come se non bastasse, fuori dalla Leopolda è una processione di manifestazioni contro il governo, in primis quella dei risparmiatori dell'Etruria.

Il ministro Boschi sembra svanito nel nulla. Su insistenza dello stesso premier le viene suggerito di inventarsi qualcosa. Lei twitta che è bloccata in commissione a Roma: «Appena finisco arrivo». Ma Renato Brunetta la smaschera subito: «Io sono in commissione e della Boschi neanche l'ombra». Ed essere smentiti da Brunetta, di per sé, basta a rovinare una festa.

Partono gli uomini renziani dei social mentre i parlamentari talebani della Leopolda puntano a sminuire Saviano. «È come Salvini» dice Ernesto Carbone. L'ex deputato di Scelta civica, Andrea Romano, tra i primi a saltare sul carro del capo, non si sottrae al suo dovere di peone: «Per un bravo scrittore perdere la creatività è terribile, torni a darci bei libri e riponga il mattarello». Un messaggio fin troppo eloquente sulla considerazione degli intellettuali. Per Romano, Saviano è «poco informato e molto pregiudiziale». Sulla stessa lunghezza d'onda il collega di partito Dario Franceschini, per cui quella dello scrittore è «una sentenza senza fondamento» emessa da una persona che utilizza la sua «autorevolezza acquisita in altri campi» per colpire una «persona rigorosa e trasparente».

E poi a cascata tutti gli altri. Da Matteo Richetti a Valeria Fedeli, passando per Lorenzo Guerini e Davide Faraone, Roberta Pinotti e pure Angelino Alfano. Il concetto è sempre quello: si tratta di un attacco strumentale e di parole prive di fondamento. Cambiano invece gli insulti personali e Saviano, da «scrittore fallito», diventa addirittura «sciacallo». Come sostiene Laura Garavini, che parla di speculazione su una «drammatica vicenda come quella del suicidio di un pensionato».

Una particolare menzione la merita Riccardo Nencini, vice-ministro dei Trasporti, che nella sua invettiva contro il «giusti-zialismo peloso» accusa il giornalista campano di scomodare persino la Bibbia «per far ricadere sui figli le responsabilità dei padri». Stefano Esposito va oltre e si inventa l'hashtag #civuo-lesensodelimite perché quel paragone fra la vicenda Boschi e il ben più noto conflitto d'interessi di Silvio Berlusconi non è proprio piaciuto. «Un attacco pretestuoso, fuori tempo mas-simo, e quel paragone col capo di Forza Italia è quasi ridicolo» sentenzia l'ex assessore ai Trasporti del Campidoglio.

Anche la minoranza del Partito democratico, riunita a Roma in contemporanea con la manifestazione renziana, difende il ministro per i Rapporti con il parlamento: «Il ragionamento di Saviano è giusto e condivisibile – sostiene l'ex segretario dem Pier Luigi Bersani –, ma le sue conclusioni sulla Boschi sono esagerate». Usa la carta carbone Gianni Cuperlo, che parla di conflitto d'interessi come «questione seria in termini di prin-cipio», e Roberto Speranza avvisa che «non è il momento di tirare freccette».

L'unica voce a sostegno dello scrittore è quella del leader di Sinistra Ecologia Libertà Nichi Vendola: «Non può essere una luce quando si esprime criticamente contro Berlusconi e poi essere un target per un linciaggio di basso livello quando dice parole impertinenti contro l'attuale potere».

Il diretto interessato ringrazia e attraverso Facebook ribatte: «Il Pd mi accusa di delirare quando chiedo le dimissioni del ministro Boschi, come se fosse lesa maestà chiederle di chia-rire le troppe opacità del caso Banca Etruria». E poi l'affondo finale: «Se il ministro Boschi dovesse rifiutare spiegazioni, restando al suo posto nonostante il pesante coinvolgimento della sua famiglia in questa gravissima vicenda che avrà pro-babilmente sviluppi giudiziari (come potrebbe non averne?), vorrà dire che nulla è cambiato, la Leopolda è una riunione di vecchi arnesi affamati, resi più accettabili dalla giovane età e dall'essere venuti dopo Berlusconi, e il Pd un'accolita che difende i malversatori a scapito dei piccoli risparmiatori».

La bufera non passa. Per la prima volta la macchina mediatica del capo si ritrova in difficoltà. Il giorno dopo, sabato 12 dicembre, la situazione sembra sbloccarsi solo perché Maria Elena Boschi si presenta alla Leopolda. E calca il palco che aveva lasciato orfano. Renzi evita di farsi vedere al suo fianco.

«Mi scuso per il ritardo, anche perché ho letto in queste ore un sacco di ricostruzioni molto fantasiose» dice il ministro. «Alcune erano addirittura divertenti nello spiegare perché non fossi qui. Ero semplicemente a fare il mio lavoro sulla legge di Stabilità.» Così liquida l'intera vicenda Etruria, senza dire mezza parola sul padre o rispondere nel merito a domande e critiche che da tutti i giornali – esclusa la «Pravda» renziana, «l'Unità» – le sono piombate addosso al mattino.

Il premier è visibilmente provato. Ascolta dalla saletta laterale. Passeggia. Per l'intera durata dell'intervento del ministro non guarda neanche un istante il cellulare che per lui è una vera e propria protesi. È agitato, teso. Più cerca di mostrarsi sereno e rilassato e più rende evidente il nervosismo, la consapevolezza di essere all'angolo e non riuscire a schivare i colpi. Sguinzaglia in sala stampa numerosi parlamentari a distrarre i giornalisti, amici e non, e a raccogliere umori. Persino il consigliere economico Itzhak Yoram Gutgeld si siede tra le postazioni della stampa, accompagnato dalle tre persone del suo staff.

Il premier resta in disparte. Riprende il telefono e scrive a vecchi consiglieri: «Che dici di Maria Elena?». I più rispondono che sta sbagliando strategia: non può far finta di nulla, deve affrontare con fermezza le critiche. Molti gli consigliano di spostare l'attenzione sulle responsabilità di Banca d'Italia, che avrebbe dovuto verificare e vigilare sulla corretta gestione di Etruria, e di sostenere che se il governo è stato costretto a intervenire per salvare posti di lavoro e risparmi la colpa è di Palazzo Koch che non ha adempiuto ai suoi doveri. Renzi tenta di scartare di lato e fa quel che sa fare meglio: cambiare argomento, spostare l'attenzione su altro, buttarla in caciara.

Così lancia un sondaggio che si rivelerà un altro boomerang: «il titolo di giornale peggiore del 2015». Tra risatine, battutine e poca dimestichezza con critica e libertà di stampa, il presidente del Consiglio stila una classifica di «brutte» prime pagine di quotidiani – in particolare «Libero» e «il Fatto Quotidiano» – che fa poi votare online. Iniziativa che viene bollata da tutti come «decisamente infelice».

E così anche la seconda giornata si chiude in maniera fallimentare. Il singolare concorso si trasforma in un autogol anche sugli adorati social network, che rispondono: «Se Renzi e Boschi volevano i titoli peggiori dell'anno potevano mostrare quelli di Banca Etruria».

Domenica 13 dicembre, insieme al fidato Filippo Sensi, il premier decide di controllare di persona i quotidiani. Non era mai accaduto prima. Solitamente non sfoglia neanche la rassegna stampa, si limita ad ascoltare le segnalazioni del suo staff, che a sua volta segue i rigidi criteri di selezione che è lui stesso a dettare. Uno in particolare: «Solo notizie utili, cavalcabili: tutto il resto è noia», come replica già dai tempi della Provincia di Firenze a chi gli suggerisce più attenzione alla lettura dei giornali. Ma, prima di aprire l'ultimo giorno di Leopolda, il capo vuole farsi un'idea di cosa lo aspetta. Tutti i quotidiani, compresi quelli che fedelmente riportano le veline di Sensi, aprono con le polemiche su Banca Etruria, le manifestazioni fuori dalla stazione fiorentina e le critiche – anche dure – al concorso sui titoli peggiori. A tal proposito le testate parlano di «edittino di Renzi» parafrasando il famigerato «editto Bulgaro» lanciato anni prima da Silvio Berlusconi contro Enzo Biagi, Daniele Luttazzi e Michele Santoro, ritenuti ostili al Re di Arcore. L'attuale premier, in definitiva, viene accusato di avere poca dimestichezza con la libertà di stampa. Insomma, un disastro.

Alessandro Sallusti, direttore di «Libero», svela i contenuti di una telefonata che ha ricevuto tempo prima dal premier dopo la pubblicazione di una notizia a lui sgradita: «Guarda – mi disse – che vengo sotto casa e ti spacco le gambe». Per questo, scrive, non stupisce troppo che siano stati «esposti in bella vista, in una gogna pubblica, i giornali che hanno osato criticare il governo».

Persino dal Pd si leva la protesta. Il deputato Michele Anzaldi, intervistato da «la Repubblica», dice che «criticare la stampa è sempre un errore, la libertà di stampa non si tocca».

Ma il commento che più trova consensi è quello che esprime Ferruccio de Bortoli su Twitter: «I titoli dei giornali li faccia direttamente lui, così facciamo prima». Per giustificare «l'edittino renziano» alcuni dei suoi si spingono a sostenere che abbia volutamente alzato il tiro per spostare l'attenzione da Banca Etruria. «È un genio» sentenzierà orgoglioso un sottosegretario fedele alla linea rientrando a Roma da Firenze sul Frecciarossa al termine della Leopolda. «Vedrai che non si parlerà più del papà della Boschi né di Arezzo.» Quando si dice la preveggenza.

Al momento di salire sul palco per l'intervento conclusivo l'ex sindaco ha il volto scuro, tirato. Tenta di celare il nervosismo dietro un sorriso ma si vedono i denti stretti, le mascelle serrate. Petto in fuori e mento verso l'alto, fa partire il monologo. «Non perderemo mai il sorriso, non consentiremo al titolo di un giornale di cambiarci la giornata» esordisce. «Noi abbiamo due alleati, il tempo e la verità. Aspetteremo il tempo necessario che ci sarà da aspettare. Nessuno è perfetto ma nessuno può permettersi di mettere in discussione la nostra voglia di cambiare l'Italia.» Altrimenti? Non lo dice.

Poi passa a Saviano, senza citarlo ovviamente. «Fa schifo chi strumentalizza i morti» sentenzia riferendosi al pensionato suicida di Civitavecchia che ha perso tutti i risparmi nelle obbligazioni subordinate di Etruria. «Sulle banche non abbiamo fatto nessun favoritismo, state insultando gente perbene» aggiunge. Poi gli sfugge la propaganda: «Il nostro sistema bancario è più solido di quello tedesco». Elogia il Jobs Act, che «funziona»; sostiene di non avere scheletri nell'armadio e nega che «chi passa dalla Leopolda entra nei cda: non è colpa nostra se qui è passata tanta gente brava». E via così. La solita autocelebrazione decisamente distante dalla verità. Per carità: è legittimo, ogni partito politico nelle convention tesse le lodi personali piegando la realtà dei fatti a proprio piacimento. Ci mancherebbe.

Mentre il presidente del Consiglio declama lo storytelling della sua azione di governo, chiuso in una ex stazione ferroviaria blindatissima dalle forze dell'ordine – si entra solo se registrati, con pass ben visibile al collo, mostrando documenti e previa perquisizione anche degli zaini e delle borse –, fuori scorre il mondo reale. Sel sfila con un flash mob eloquente, «Renzi gli scontrini #escili»: il partito da anni, insieme al locale Movimento 5 Stelle, chiede di visionare le ricevute delle spese sostenute dall'attuale premier quando era sindaco di Firenze. Richiesta puntualmente negata, in spregio alla legge sulla trasparenza. Fuori dalla Leopolda protestano anche i licenziati delle decine di fabbriche toscane e italiane a cui Renzi in precedenza ha garantito sostegno: promesse cadute nel vuoto. E ci sono, come ovvio, i risparmiatori che si ritengono truffati da Banca Etruria. A questi ultimi il premier fa sapere di essere disposto a incontrarli. Nella tarda mattinata una loro delegazione, guidata da Letizia Giorgianni, portavoce del gruppo Vittime del Salva-banche, si presenta all'ingresso laterale della Leopolda e viene fatta entrare e scortata al lato del palco. Solo che qui, invece di Renzi, trovano il ministro dell'Economia Padoan, che li rassicura dicendo loro che il governo farà il possibile. Ma ovviamente «prima devo parlare con Matteo». L'ultima beffa.

Il contraltare veronese

Come se non bastasse, durante la tre giorni fiorentina ci si mette anche Pippo Civati, il coideatore della prima Leopolda.

Uscito dal Partito democratico, Civati ha dato vita al movimento Possibile, che sta raccogliendo consensi crescenti nell'area storica dell'antiberlusconismo e del centrosinistra tradito proprio da Renzi.

L'ex alleato del premier in quel weekend organizza una kermesse a Verona di livello decisamente superiore a quella toscana, sia per contenuti sia per interlocutori. A tratti sembra farle da contraltare. Dal palco dell'ex stazione il presidente del Consiglio parla dell'Italia che è ripartita, della crisi ormai alle spalle, di un paese che sta meglio della Germania? Ed ecco che dalla città veneta, dove è riunito Possibile, arriva l'intervento di Vincenzo Visco, ex ministro delle Finanze: «La Leopolda è esempio di messaggi tranquillizzanti in contrasto con la realtà ed è così che si rischiano contraccolpi negativi sulla fiducia. L'Italia, con Cipro e la Grecia, è il paese uscito peggio dalla crisi» dice. E poi snocciola dati: «Gli investimenti si sono ridotti del 30 per cento, il reddito disponibile del 5 per cento, mentre le imprese che crescono sono solo quelle sovvenzionate da politiche di governo. Le esportazioni non aumentano, nonostante la svalutazione dell'euro, e non si può più scommettere su altri cali dei tassi di interesse e sul calo del prezzo del petrolio» prosegue Visco, secondo il quale «la crisi degli istituti bancari non è dipesa da Banca d'Italia, ma dai comportamenti criminali di alcuni banchieri, su cui la Consob non ha esercitato la funzione di garanzia dei consumatori eliminando una disposizione del governo Letta che imponeva di indicare in modo chiaro il livello di rischio degli investimenti».

Un intervento di appena dieci minuti, quello di Visco, ma decisamente chiaro e argomentato. Persino accompagnato da una proposta finale: «Servirebbe un programma di ampio respiro e cambiamento, invece il governo si preoccupa del consenso nel breve periodo. E non bisognerebbe mentire al paese oltre un certo limite. Bisogna essere chiari nel dire che al momento non c'è alcuna possibilità di abbassare le tasse, se non attraverso le politiche di recupero dell'evasione fiscale. E i veri investimenti che creerebbero reddito sono: la tutela del territorio, la rivalutazione delle periferie e la banda larga».

La dichiarazione dell'ex ministro rimbalza rapidamente sui siti internet e i social network, tanto che Renzi, ormai a kermesse conclusa, è costretto a chiamare a raccolta i giornalisti nel tentativo di riacquistare spazi sui quotidiani online: «La Leopolda è un luogo dove si può fare politica senza parlare di regole, primarie, correnti ma ideali ancorati alla realtà».

Ancora: «C'è il grande desiderio di dare fiducia all'Italia e di creare un clima bello».

Il lupo di Rignano ora sembra aver perso la fame che lo ha portato al potere. Ormai sedato dagli agi del Palazzo, non riesce più a essere incisivo, a chiudere il nemico all'angolo, a togliergli il fiato come ha fatto con Enrico Letta né a scartare di lato e schivare gli attacchi. Appare provato, incapace di trovare soluzioni, privo di strategie concrete. Con lui l'intero governo.

Il soccorso di Verdini e dei grembiulini

Un premier al guinzaglio

«Davvero avete intenzione di presentare la sfiducia anche in Senato?»

La sera del 17 dicembre 2015 Maria Elena Boschi è molto preoccupata: il mattino seguente l'aspetta il passaggio alla Camera della sfiducia nei suoi confronti, presentata dal Movimento 5 Stelle, per il caso Banca Etruria. E se a Montecitorio i numeri dicono che ci sono buoni margini di serenità, l'esito a Palazzo Madama è meno certo. Così la ministra telefona a tutti i parlamentari con cui sa di poter avere un dialogo. I risultati non devono essere quelli sperati visto che si spinge a interpellare anche i «nemici» della Lega Nord che proprio alla Camera, insieme a Forza Italia, hanno presentato la sfiducia contro il governo annunciando la volontà di farlo anche al Senato.

Tre diversi deputati confermano di aver ricevuto la chiamata. Tutti si dicono colpiti, non tanto dalla telefonata in sé, comunque inattesa e non convenzionale, quanto dai contenuti. Perché, oltre alla preoccupazione, la Boschi lascia involontariamente trapelare che la maggioranza a Palazzo Madama è ballerina e che colui il quale è ritenuto l'alleato di ferro di Renzi in realtà lo tiene al guinzaglio.

«Non abbiamo ancora deciso ma pensiamo di sì» risponde uno dei tre leghisti contattati alla domanda riguardo alla sfiducia da presentare in entrambe le camere del parlamento. «Ti dirò, io sono agitatissima e, anzi, scusami se ti chiamo, ma non so davvero cosa aspettarmi già domani, figurati in Senato» ribatte il ministro. «Ma va, lì siete blindati: avete i voti di Verdini» riflette l'esponente del Carroccio, che poco dopo rimane colpito dalla risposta del ministro Boschi: «Appunto».

Nel giugno del 2015 Denis Verdini ha rotto definitivamente con Arcore e ha dato vita a un proprio movimento parlamentare – l'Ala, Alleanza Liberalpopolare-Autonomie – solo per fare da stampella all'amico di lunga data Matteo Renzi, che affettuosamente chiama «Matteuccio». Un'iniziativa da «nuovi responsabili» all'Antonio Razzi e Domenico Scilipoti, che avevano sostenuto il governo di Silvio nel 2011: un patto siglato grazie alla mediazione, anche lì, di Verdini.

Alla base del sostegno all'attuale premier ci sono una serie di compromessi variabili, scanditi da un *do ut des* costante e aggiornato continuamente a seconda dei provvedimenti che l'esecutivo deve realizzare. E quando sul tavolo arriva la portata delle banche, Verdini non si fa pregare per essere invitato a sedere alla destra del capo. Del resto lui è stato per vent'anni presidente del Credito cooperativo fiorentino, una cassaforte usata per scalare il partito di Berlusconi e per aiutare gli amici di Arcore, in primis Marcello Dell'Utri, ai quali ha consentito aperture di credito milionarie spesso senza garanzie.

Il 23 luglio 2015 Verdini è rinviato a giudizio per truffa ai danni dello Stato e bancarotta fraudolenta: è la quinta richiesta di condanna che lo raggiunge e, nonostante si proclami innocente e intenzionato a dimostrare in aula l'insussistenza delle accuse, vorrebbe poter accelerare i tempi e magari evitare di entrare in qualche tribunale.

Già il 1° dicembre 2014 il consiglio dei ministri aveva approvato uno schema di decreto legislativo di attuazione della Legge delega 67/2014 che depenalizza diversi reati. Un regalo a molti, colletti bianchi compresi. Oltre a quelli contro la pubblica amministrazione – dal peculato alla percezione di indebite erogazioni a danno dello Stato –, nell'elenco sbianchettato figurano molti reati societari tra i quali il falso in bilancio, l'impedito controllo alla formazione fittizia del capitale, l'aggiotaggio e l'ostacolo alla vigilanza pubblica, oltre ad alcune ipotesi di reati fallimentari, quali ad esempio la bancarotta semplice e il ricorso abusivo al credito. Per il settore tributario vengono inclusi anche i reati di dichiarazione infedele e il delitto di omessa dichiarazione, la sottrazione fraudolenta al pagamento d'imposte o quello di omesso versamento di ritenute certificate.

Ce n'è abbastanza per festeggiare. Ma non per Verdini. E quando adesso il leader di Ala si trova a dover sostenere l'esecutivo per difendere Boschi, scopre che la vicenda su cui dovrebbe dare sostegno è pressappoco identica alla sua ma con esito, dal proprio punto di vista, drammaticamente opposto: il padre di Maria Elena è salvo dalla bancarotta, almeno in quel frangente. Appare legittima dunque la preoccupazione del ministro. Quanto logico il ragionamento di Verdini. L'unica differenza tra ciò che è accaduto a lui con il Credito cooperativo fiorentino e quello che è successo a Pier Luigi Boschi sta – a suo avviso – solamente nell'intervento del governo a favore della banca di cui fa parte il padre della titolare del dicastero. Con l'aggravante, agli occhi del leader di Ala, che il suo istituto al tempo era decisamente sano rispetto alle condizioni in cui versa ora la Popolare dell'Etruria. Quindi perché non chiedere qualcosa in cambio?

La banca del Pdl

La vicenda del Credito cooperativo fiorentino (Ccf) guidato da Verdini si era aperta il 20 luglio 2010, quando la Banca d'Italia, con delibera unanime del direttorio, aveva proposto al ministro dell'Economia e delle finanze Giulio Tremonti la «sottoposizione dell'azienda alla procedura di amministrazione straordinaria per gravi irregolarità nell'amministrazione e gravi violazioni normative del testo unico bancario».

Verdini all'epoca è il potente coordinatore nazionale del Pdl e guida l'istituto di credito dal 1990. A Palazzo Koch il governatore è Mario Draghi mentre al governo è seduto l'amico Silvio Berlusconi, che nulla può per salvare Verdini, tanto che Tremonti, il 27 luglio, si vede costretto a firmare il decreto per il commissariamento del Ccf. Un percorso obbligato. In base alla legge si procede in questo modo in due casi: quando si riscontrano gravi irregolarità nell'amministrazione, ovvero pesanti violazioni delle disposizioni legislative, amministrative o statutarie che regolano l'attività della banca, oppure quando si profilano serie perdite del patrimonio, anche solo previste.

Gli ispettori della Banca d'Italia esaminano conti e depositi dell'istituto di credito evidenziando in particolare «gravi carenze» degli organi aziendali, con «totale accentramento dei poteri» sulla figura dell'allora presidente Verdini ed «estesi profili» di potenziale «conflitto di interessi» dello stesso per affidamenti da 60,5 milioni di euro. All'attuale leader di Ala vengono sequestrati beni per oltre dodici milioni di euro. A garanzia dei creditori, ovviamente.

La relazione finale dell'ispezione recapitata in via Nazionale riporta anche l'esistenza di un esecutivo della banca «scarsamente autorevole» e di un collegio sindacale «privo di sufficiente indipendenza». Ancora: il governo societario è «totalmente accentrato» nelle mani di Verdini, «principale fautore della politica di espansione creditizia verso clientela di grandi dimensioni, fra cui rientrano anche iniziative riconducibili al suo gruppo familiare», chiaramente in contrasto con le indicazioni della Vigilanza e con le «linee strategiche elaborate per il triennio 2008-2010 che invece prevedevano la diversificazione del portafoglio crediti a favore delle famiglie e delle piccole e medie imprese».

Sempre secondo Bankitalia, l'allora braccio destro di Berlusconi «ha omesso di fornire piena informativa, ai sensi dell'articolo 2391 del Codice civile, circa la sussistenza di propri interessi potenzialmente in conflitto con quelli della banca, per affidamenti complessivamente ammontanti a euro 60,5 milioni», appunto riconducibili a iniziative sia in ambito editoriale sia in ambito immobiliare, «in parte connotate da situazioni di difficoltà finanziarie».

L'ispezione è durissima, tanto che porta al commissaria-mento dell'istituto da parte del Tesoro e alla nomina dei commissari Angelo Provasoli e Virgilio Fenaroli che il 27 gennaio 2011, dopo diciotto mesi di amministrazione straordinaria, consegnano a Palazzo Koch la loro relazione confermando i rilievi iniziali.

Nel frattempo arrivano anche le sanzioni da parte di Bankitalia: complessivamente ammontano a 675.000 euro per una lunga serie di irregolarità nella gestione della banca. Verdini deve pagarne 105.000 mentre l'ex direttore generale Piero Biagini 75.000. Multa da 60.000 euro per ognuno degli altri sei membri del cda – Marco Rocchi, Franco Galli, Fabrizio Nucci, Mauro Marcocci, Enrico Luca Biagiotti, Simonpiero Ceri – e da 45.000 per ognuno dei tre componenti del collegio sindacale, Antonio Marotti, Gian Luca Lucarelli e Luciano Belli.

Nel dettaglio dei rilievi Verdini viene sanzionato dagli ispettori del servizio di vigilanza di Bankitalia per la violazione della normativa in materia di concentrazione dei rischi; carenze nel processo del credito; mancata segnalazione all'organismo di vigilanza di posizioni anomale e di previsioni di perdite; carenze nei controlli interni e violazione della normativa in materia di contenimento del rischio di liquidità.

Nel marzo del 2012 il Credito cooperativo cessa di esistere: Bankitalia propone il procedimento di «liquidazione coatta amministrativa». Il capitale sociale è ridotto a meno di cinquantasei milioni di euro. Così i commissari, insieme alla stessa Bankitalia e al ministero dell'Economia – in quel momento nelle mani del premier Mario Monti –, optano per un'operazione di pulizia, con l'intento di sacrificare l'istituto salvaguardando i clienti: i sette sportelli – da cui passano 170 milioni di impieghi e circa 350 di raccolta diretta – vengono rilevati da ChiantiBanca per un euro simbolico. L'istituto prende in mano anche sessanta dipendenti e il patrimonio immobiliare che comprende, oltre alla sede centrale di Campi Bisenzio, alcune proprietà non strumentali all'attività bancaria, come una villa e un appartamento in Sardegna.

Secondo quanto riportato nella relazione dei commissari, ci sono altri ottanta milioni iscritti a sofferenza. Questi sono svalutati al 65 per cento e acquistati dal Fondo di garanzia interbancario delle banche di credito cooperativo.

Per Verdini il suo Credito cooperativo fiorentino era una buona banca ma è stata massacrata da Palazzo Koch e non aiutata dall'esecutivo. La situazione della Popolare dell'Etruria, ragiona il leader di Ala nel dicembre del 2015, è decisamente peggiore. Eppure viene salvata. Fra l'altro tutto questo avviene proprio nei mesi in cui lui si trova a processo, tra le varie cose, per bancarotta fraudolenta. Dunque perché non ricordare all'amico «Matteuccio» quali siano le cortesie che sarebbero ben accolte e, soprattutto, che i favori oggi concessi sono debiti per il futuro, cambiali da pagare?

A Verdini basta mettere in fila pochi elementi per convincersi che Boschi senior è un miracolato. Multato, come abbiamo visto, per 144.000 euro da Bankitalia quando è consigliere di amministrazione, è nominato successivamente, nonostante la sanzione, vicepresidente dell'Etruria. Dopo pochi mesi Palazzo Koch chiede e ottiene il commissariamento dell'istituto di credito – rilevando carenze ben peggiori e molto più gravi di quelle sollevate al Credito cooperativo fiorentino –, eppure dei suoi vertici vengono indagati appena due membri e nessun sequestro preventivo viene effettuato. Insomma, secondo Verdini, ce n'è abbastanza per battere cassa e alzare il prezzo del sostegno in Senato in caso di sfiducia. È il momento di mostrare i muscoli, rendere palese quanto determinante sia il suo appoggio al governo.

A Palazzo Madama la mozione presentata dal Movimento 5 Stelle e da Stefano Candiani della Lega Nord non viene inserita in calendario e slitta a fine gennaio. A Montecitorio, invece, il 18 dicembre Maria Elena Boschi porta a casa il risultato, dopo un intervento che sfiora appena il decreto sulle banche ma si incentra sulla figura del padre, di nuovo definito «una persona perbene»; tra qualche inciampo, quando dice «è stato in banca solo pochi mesi» sapendo che in realtà è nel cda dal 2011; ed evitando di rispondere nel merito del conflitto di interessi per la sua intercessione diretta nell'iter che ha portato all'approvazione del decreto governativo. La mozione viene bocciata con 373 voti contrari alla sfiducia e 129 a favore. Un esito scontato, complice la decisione presa da Berlusconi di far uscire gli uomini di Forza Italia dall'aula al momento del voto.

L'ex Cavaliere garantisce ai suoi che insieme presenteranno una mozione di sfiducia anche al Senato contro l'intero governo ma intanto al ministro Boschi l'amico Silvio tende la mano. Di nuovo. Per quanto, di fatto, ormai politicamente divisi, addirittura in due partiti diversi, Berlusconi e Verdini confermano di avere entrambi a cuore il loro comune amico e leader prediletto. Un triangolo perfetto. Secondo molti osservatori costruito se non ad hoc comunque in accordo. Forza Italia deve fare opposizione o, almeno, mostrarsi in qualche modo in contrapposizione con il Pd e l'esecutivo Renzi. Ma il governo ha la necessità di una stampella per emarginare l'emorragia della sinistra interna, critica nei confronti dell'operato del segretario Pd. Da qui l'ingresso di Verdini, con un nuovo soggetto politico: Ala.

La fiducia al Senato arriva il 27 gennaio.

Un mese prima, il 29 dicembre, dopo il discorso di chiusura dei lavori, Renzi riceveva alcuni amici nel suo ufficio a Palazzo Chigi. C'era il sempre presente Luca Lotti, sbracato sulla poltrona e con i piedi appoggiati sulla scrivania. C'erano anche alcuni consiglieri della comunicazione, tra cui Pilade Cantini. Si parlava di tutto. Anche di Etruria. La chiosa soddisfatta del capo era più che chiara: «È andata».

Nel frattempo, nel marzo del 2016, il senatore Denis Verdini viene condannato a due anni, con pena sospesa, per concorso in corruzione relativamente a un'altra vicenda: quella degli appalti per la ristrutturazione della Scuola Marescialli di Firenze. Lo hanno deciso i giudici della settima sezione penale del Tribunale di Roma che hanno accolto la richiesta del pm Ilaria Calò. Il reato, secondo quanto spiegano gli avvocati di Verdini, si prescriverà entro l'estate.

Da Calvi a papà Boschi: il faccendiere Carboni

Il 15 gennaio 2016 il quotidiano «Libero» edito dal deputato Pdl Antonio Angelucci ricorda a Renzi che il pasticcio Etruria non solo non è finito ma coinvolge sempre più direttamente Pier Luigi Boschi.

Il giornale riporta la notizia di alcuni incontri tra il padre del ministro e Flavio Carboni, un cordiale e vispo ultraottantenne che ha attraversato tutte le maggiori inchieste giudiziarie della storia repubblicana condite da servizi segreti, massoneria, incestuosi rapporti tra politica, finanza e mafie. Carboni è stato l'ultimo a vedere vivo il banchiere di Dio, Roberto Calvi, prima che fosse trovato impiccato sotto il ponte dei Frati neri a Londra. Non solo, l'uomo si è affacciato spesso a Villa Wanda, alle porte di Arezzo, negli anni in cui il defunto venerabile Licio Gelli reclutava i fratelli della P2. Ed è stato socio in affari con un giovane Silvio Berlusconi nel progetto immobiliare Costa Turchese, noto come Olbia 2, una sorta di Milano 2 da realizzare in Sardegna, sua terra d'origine.

Francesco Marino Mannoia – il collaboratore di giustizia che insieme a Tommaso Buscetta ha aiutato la magistratura italiana a fotografare per la prima volta le infiltrazioni della mafia nello Stato – ha indicato in Carboni colui il quale con l'amico Gelli si occupava di riciclare il denaro sporco di Cosa nostra per conto di Pippo Calò, il tesoriere del clan dei Corleonesi. Anni dopo, un altro tassello al quadro lo aggiunge Antonio Mancini, membro della banda della Magliana. Carboni «era un anello di raccordo tra la banda, la mafia di Calò e gli esponenti della P2» confessa Mancini.

Il sardo viene più volte arrestato ma sempre per periodi brevi e subirà soltanto una condanna definitiva nel 1998 per il fallimento del Banco Ambrosiano: otto anni e sei mesi di reclusione. Ma nel 1989 l'amnistia dimezza la condanna, dalla quale viene anche detratta la carcerazione preventiva, pertanto alla fine non viene emesso nessun ordine di esecuzione della pena a suo carico.

Pochi giorni dopo aver ricevuto l'assoluzione definitiva per il delitto Calvi, nel luglio del 2010 Carboni si ritrova nuovamente sotto accusa. Questa volta è indagato per concorso in corruzione negli appalti per la realizzazione di impianti eolici in Sardegna. Con lui finiscono nel registro degli indagati alcuni esponenti politici, tra cui l'allora presidente dell'isola Ugo Cappellacci e Denis Verdini. Le indagini fanno emergere l'esistenza di una ramificazione di rapporti obliqui che tirano in ballo anche Marcello Dell'Utri, allora senatore e ora in carcere a scontare una pena definitiva a sette anni per concorso esterno in associazione mafiosa. Proprio dalla banca di Verdini vengono concessi oltre dieci milioni di crediti senza garanzie all'ex braccio destro berlusconiano della prima ora. Insomma, il quadro che emerge è piuttosto inquietante.

Alle accuse iniziali gli inquirenti aggiungono i reati di riciclaggio e associazione per delinquere. E l'8 luglio 2010 arrestano Flavio Carboni. Nell'ordinanza il gip scrive che la sua sfera di influenza va ben oltre gli appalti dell'eolico: riesce a entrare nell'attività delle istituzioni tentando di intervenire anche su decisioni giudiziarie. Nel 2009, infatti, Carboni fa pressioni su alcuni giudici della Corte costituzionale per spingerli a esprimere un parere favorevole al Lodo Alfano che avrebbe dovuto tutelare Silvio Berlusconi. Il tutto, ricostruiscono le indagini, viene deciso durante incontri tra lo stesso Carboni, Verdini, Dell'Utri, l'allora sottosegretario alla Giustizia Giacomo Caliendo, i magistrati Antonio Martone e Arcibaldo Miller.

Sempre secondo l'accusa, Carboni sarebbe intervenuto presso il Tar per sollecitare la riammissione della lista del Pdl alle elezioni regionali del 2010 a favore di Roberto Formigoni e, sempre per le regionali, avrebbe supportato la candidatura di Nicola Cosentino come governatore della Campania, tentando di screditare l'avversario Stefano Caldoro attraverso dossier su frequentazioni di quest'ultimo con transessuali. Infine Carboni, insieme ai suoi sodali, avrebbe favorito la promozione a presidente della Corte d'appello di Milano del magistrato Alfonso Marra.

Nell'agosto del 2011 il procuratore aggiunto di Roma Giancarlo Capaldo e il sostituto Rodolfo Sabelli chiudono le indagini che hanno portato alla luce la P3, un'associazione segreta che avrebbe operato per influenzare pezzi dello Stato. Le accuse della Procura capitolina vanno dalla violazione della legge Anselmi sulle società segrete all'associazione per delinquere finalizzata a realizzare una serie indeterminata di delitti, dalla corruzione all'abuso d'ufficio, dall'illecito finanziamento dei partiti alla diffamazione. Carboni ne è ritenuto il dominus.

Il processo è ancora in corso a Roma. Durante l'udienza del 23 ottobre 2015 Denis Verdini viene sentito in aula. Davanti ai giudici definisce Marcello Dell'Utri, chiuso nelle patrie galere per associazione mafiosa, «un'icona» e la P3 «un coacervo di millanterie». Con lui, imputato per corruzione, c'è anche Flavio Carboni.

Un curriculum notevole quello del sardo, tanto da valergli una voce nell'enciclopedia Treccani: quella di «faccendiere». Secondo molti, già il fatto di incontrarlo è imbarazzante. Basta fare un esempio. L'imprenditore Cipriano Chianese, a processo a Napoli perché ritenuto l'inventore del sistema di smaltimento illecito dei rifiuti nella cosiddetta Terra dei fuochi in Campania e indicato da numerosi pentiti come uomo potentissimo e temuto, durante la fase dibattimentale viene interpellato dalla pubblica accusa sulle sue frequentazioni con Carboni. «Tramite chi lo ha conosciuto?» chiede il pm. E Chianese: «Mi fu presentato come un grosso imprenditore che faceva attività anche lui nel settore dell'ecologia, però quando poi sentii il nome collegai, perché poi il nome era risaputo, collegai a tutti gli articoli che uscivano sulla massoneria, personaggi così. Dico: un momento, ci siamo sbagliati proprio».

Per Chianese, accusato di reati gravissimi, Carboni è da evitare. Il pm insiste: «Non l'ha più visto?». L'imputato, quasi scocciato: «Non l'ho mai visto, solo quel giorno».

Pier Luigi Boschi, invece, nella primavera del 2014, appena nominato vicepresidente di Banca Etruria e con una figlia ministro da soli due mesi, ritiene di poterlo incontrare più volte. Va appositamente a Roma. Lo raggiunge nei suoi uffici in via Ludovisi dove, pochi anni prima, la Guardia di finanza effettuava le perquisizioni per l'inchiesta P3.

Già il fatto che il padre di un politico così influente vada più di una volta nella capitale appositamente per incontrare un personaggio come Carboni basterebbe a rimettere in crisi l'esecutivo. Ma c'è di più. C'è un'inchiesta aperta dalla Procura di Perugia su una presunta loggia massonica scoperta durante le indagini su un personaggio finora sconosciuto che si chiama Valeriano Mureddu: un giovane di poco più di quarant'anni, cresciuto a Rignano sull'Arno, a pochi passi dalla casa in cui è nato Matteo Renzi e nella quale ancora oggi vivono i genitori. Mureddu si presenta come un massone in sonno, non ribatte se viene indicato come uomo dei servizi segreti e parla con disinvoltura di rapporti con Abu Dhabi e di fondi d'investimento arabi. Durante le perquisizioni, nel suo ufficio vengono rinvenuti dei dossier che gli inquirenti perugini ritengono fossero finalizzati a ricattare personaggi pubblici, aziende, politici.

Nella vicenda entra un altro personaggio già noto alle cronache: Gianmario Ferramonti. Classe 1953, originario della provincia bresciana, cresce tra Irlanda del Nord, Stati Uniti e Giappone, e si stabilisce a Londra nel 1981. Appassionato di nuove tecnologie, importa in Italia nel 1977 il primo display al plasma e nel 1982 introduce sul mercato nostrano il portatile Voyager, poi l'Amstrad e infine, nel 1986, il cd rom della Sony. Poi scopre la politica. Nel 1990 entra nella Lega Nord, è tra i primi a sostenere Umberto Bossi, che accompagna in giro per la Lombardia quando il Senatur ancora racconta alla moglie di essere un dottore laureato in Medicina. Ferramonti diventa amministratore della Pontidafin, la finanziaria del Carroccio. Poi partecipa alla nascita di Alleanza nazionale, di Forza Italia e della Casa delle Libertà. Amico di Berlusconi e di Dell'Utri, ha un ottimo rapporto con Verdini che spesso, ancora oggi e con frequenza, dice di sentire per confrontarsi.

Nel 1996, però, la sua ascesa viene fermata: la Procura di Aosta lo arresta per lo scandalo Phoney Money. È accusato, insieme ad altre diciassette persone, di aver organizzato una megatruffa per circa venti miliardi di lire con l'emissione di titoli falsi, coinvolgendo grandi banche internazionali. E anche in quest'inchiesta spunta la massoneria: nasce un filone d'indagine ribattezzato «Operazione Lobbying» per individuare un'organizzazione segreta di cui Ferramonti avrebbe fatto parte e che avrebbe suggerito e pilotato uomini fidati a incarichi governativi e statali. Come Carboni con Calvi, anche Ferramonti dopo nove anni di indagini vede cadere tutte le accuse nei suoi confronti e viene completamente scagionato. Riappare nel dicembre del 2015. Ai funerali di Licio Gelli.

Carboni, Mureddu e Ferramonti sono, insieme a Pier Luigi Boschi, i protagonisti dell'ultimo capitolo Etruria che imbarazza il governo. Perché il padre del ministro conosce «l'altro» uomo di Rignano ed è a lui che si rivolge per chiedere di individuare una persona da nominare direttore generale della banca popolare di cui è da poco vicepresidente. Un interessamento autonomo, emergerà poi, perché l'istituto di credito si è nel frattempo attivato per canali più consoni a ricoprire l'incarico. Boschi va dall'amico Mureddu. Quest'ultimo a chi si rivolge? A Carboni, che «considero come mio padre» spiega e col quale «mi confronto da sempre». Il faccendiere accoglie la richiesta e inizia a informarsi su chi potrebbe andare ad Arezzo. Telefona a Ferramonti. «Gianmario, conosci qualcuno?» L'amico sente altri amici e poi snocciola dei nomi a Carboni, il quale a sua volta li riferisce a Mureddu: «Poi lui li ha riportati a Boschi» ricorda il sardo.

La vicenda ha evidenti zone d'ombra. Sembra quasi studiata a tavolino. Perché in tutti questi passaggi ci sono anche gli incontri tra Boschi e Carboni a Roma, organizzati dallo stesso Mureddu. «Non abbiamo parlato della banca» tiene a precisare più volte l'ottuagenario della P3. Ma allora perché portare il padre del ministro fin nella capitale? Perché Mureddu non si limita a fare da tramite tra i due, considerato che si professa «buon amico» di Boschi? Nessuno pensa che essere ricevuti da Carboni possa creare imbarazzo al governo?

Oltretutto i tre, appena emerge la vicenda, distribuiscono interviste con estrema facilità. Mureddu richiama i giornalisti e li incontra per aggiungere dettagli: conosce benissimo la famiglia Renzi e con il padre del premier racconta di aver fatto «buoni affari» in passato. Ferramonti mostra alcune foto degli incontri scattate con lo smartphone. Ne avrà altre? E quali? Carboni, solitamente restio a parlare, invia altri messaggi a mezzo stampa: «Se parlo cade il governo».

L'unico a non proferir parola è Boschi. Ha trasformato la sua abitazione di Laterina in un bunker. Prima ha costruito tre box, così da poter entrare in casa con l'auto senza essere avvicinato, poi ha avviato i lavori per installare un'enorme cancellata. Esce di casa solo alle sette del mattino per andare ad acquistare i giornali a bordo della sua Punto grigia e non mette più piede ad Arezzo: per qualunque commissione va nella più distante ma sicura San Giovanni Valdarno.

L'inchiesta su Marco Carrai, il Richelieu del premier

Carrai ai servizi segreti

Il 16 gennaio 2016 «il Fatto Quotidiano» riporta una notizia che crea problemi al governo, questa volta direttamente al premier: il giornalista Francesco Bonazzi rivela l'ormai prossima nomina di Marco Carrai a capo della cyber security, con un pacchetto da centocinquanta milioni di euro e un incarico sostanzialmente da capo dei servizi segreti.

La notizia che coinvolge il fedelissimo di Renzi, con pochissima esperienza nel settore e molti interessi privati, scatena le reazioni non solo della politica, ma anche degli stessi vertici dell'intelligence italiana. E c'è chi sa leggere benissimo il binomio Etruria-Carrai: si tratta di Luigi Bisignani, altro nome che riemerge dal passato, dalla loggia P2, dall'inchiesta Enimont, e che si ricollega ai poteri occulti – veri o presunti – del paese.

Ritenuto ancora oggi uno degli uomini più influenti, Bisignani è un profondo conoscitore dei Palazzi romani e il giorno dopo lo scoop de «il Fatto», dalle pagine di un altro quotidiano, «Il Tempo», scrive una letterina al premier. «Caro Renzi, non commettere l'errore di Giulio», inteso come Andreotti ovviamente, è il titolo.

«Caro presidente Renzi, una tempesta perfetta sta per abbattersi sul Titanic del suo governo, con degli enormi iceberg che si vedono già nella nebbia e nel freddo sopraggiunto improvviso e che hanno nomi inquietanti: giustizia, Europa, banche, servizi segreti. Dato il coraggio dimostrato fino a oggi, non farà come Schettino e può ancora schivare i pericoli, ma il tempo e i fatti congiurano contro di lei» scrive.

Bisignani prosegue e ricorda al premier che seppure lui sia «ancora molto amato come Berlusconi della prima ora» e anche se, «a differenza del Cavaliere, ha completamente dalla sua il comandante supremo Sergio Mattarella che non disturba il manovratore», ciononostante «tutto il resto è in pericoloso movimento». Suona l'allarme: «Quando giornali di destra e di sinistra cominciano a riesumare i fantasmi delle varie P2 o P3 significa che la partita a mandare tutto a rotoli è iniziata. Se a questo "tintinnio di massoneria", tra l'altro già evocato dal "Corriere della Sera",[1] si aggiunge il lavoro di accertamento di più procure su persone a lei vicine, le onde iniziano a gonfiarsi paurosamente».

L'ex giornalista e scrittore non rivela né quali siano le «procure» in azione né su chi, queste ultime, stiano svolgendo accertamenti, ma il messaggio è chiaro: lo sai tu, caro presidente Renzi, ma non credere di essere l'unico, lo so anche io. E come me altri ne sono al corrente. O lo saranno.

Prosegue Bisignani: «Il paradosso tutto italiano poi è sempre lo stesso: il fatto che lei abbia responsabilità dirette oppure sia vittima di clamorosi errori di omissione delle varie Consob e Banca d'Italia non significa proprio nulla. Da sempre gli organi di vigilanza sono dei moralizzatori fuori tempo massimo. Se poi incurante dei pericoli lei si mette anche a cincischiare con gli apparati più sensibili di intelligence pensando all'amico suo Carrai per la cyber security, e poi si mette a polemizzare con pezzi importanti d'Europa, sarà difficile non andare a cozzare contro i ghiacciai. Mi creda, e mi permetto di dirglielo con simpatia, non sottovaluti questi segnali».

E poi snocciola un esempio non da poco. Andreotti trascinato in tribunale per mafia, con il corollario delle accuse dei

---

[1]   Il riferimento è all'espressione «stantio odore di massoneria» associata al Patto del Nazareno e comparsa nell'editoriale di Ferruccio de Bortoli, dal titolo *Il nemico allo specchio*, sul «Corriere della Sera» del 24 settembre 2014.

pentiti, il bacio con Riina. Uscirà indenne da tutto – stragi di Stato, omicidio Pecorelli, rapimento Moro, Brigate rosse, Magliana, Tangentopoli – ma non scamperà alla gogna di quel processo, finito poi con un'assoluzione ma terminato troppo tardi. Lui, del resto, Andreotti lo conosceva bene: era stato capo ufficio stampa del ministro del Tesoro e poi dei Lavori pubblici Gaetano Stammati nei governi presieduti dal Divo tra il 1976 e il 1979. Amicizie che poi non si interrompono, non si perdono. Bisignani, nella sua lettera a Renzi, non si limita a rammentarlo, lo evoca: «Ricordo bene Andreotti quando sorrideva davanti alle prime pallide accuse che gli venivano mosse proprio dalla Germania sulle sue presunte e poi dimostratesi false contiguità mafiose. Sa bene com'è andata a finire. Cominci quindi a essere meno altezzoso, convochi tutto lo stato maggiore e non soltanto il suo triangolo magico, e si lasci consigliare anche, soprattutto in politica estera, da qualche ammiraglio, magari in pensione, che più di lei ha girato il mondo». E di nuovo: non specifica chi ma entrambi capiscono di chi si parla.

Bisignani non si ferma qui. «In questo momento, poi, non rinneghi gli ufficiali del tutto inadeguati che ha imposto, come Federica Mogherini, perché sta creando ancora più sconcerto nelle capitanerie occidentali che ancora non glielo perdonano. E infine lasci perdere almeno per un momento le nuove nomine nei servizi e nelle forze di polizia, di cui si sta appassionando, o quelle in Rai. Sta creando solo scompiglio e intossicando le cabine della sua nave in tempesta. I nuovi, vedrà, per quanto fedeli, senza mezzi e con poca esperienza, potranno fare davvero poco. In momenti come questi la fedeltà non è un'ancora a cui aggrapparsi. Meglio dei radar che le facciano riprendere la rotta in tempo e prima che i suoi uomini e le sue donne cerchino riparo nelle scialuppe di salvataggio.» Questo articolo suona come un consiglio non richiesto. Ma decisamente prezioso. Che il premier pare accogliere, in silenzio.

La nomina di Carrai lentamente sembra sfumare. E lo stesso Renzi pone pubblicamente una condizione al suo fedelissimo:

«Deve liberarsi di tutti i suoi interessi privati, non credo gli convenga». Poi alla Camera, per rispondere a un'interrogazione parlamentare in merito, presentata da Sinistra italiana al ministro dell'Interno Angelino Alfano, si pronuncia Maria Elena Boschi. Con una difesa blanda: «Il governo, così come le altre istituzioni, ha facoltà di avvalersi di consulenze di carattere tecnico, scegliendo tra vari profili».

La Cys4 e quella rete estera che arriva a Tel Aviv

Il 21 marzo 2016 la nomina di Carrai torna nell'agenda del capo dello Stato Sergio Mattarella. Il premier deve infatti salire al Colle per decidere i rinnovi delle cariche in scadenza dei corpi di armata e dei servizi segreti italiani.

È un altro articolo a far saltare, per la seconda volta, l'incarico da 007 per il fedelissimo del premier: «il Fatto» pubblica, a firma di chi scrive e di Antonio Massari, un'inchiesta sulle società estere del Richelieu del Giglio magico, con ramificazioni che arrivano in Lussemburgo e Israele. Società in cui figurano grandi imprenditori delle infrastrutture pubbliche, consiglieri di Finmeccanica, capi di asset bancari strategici, ex agenti dei servizi segreti israeliani, uomini legati ai colossi del tabacco. Tra questi non può mancare Davide Serra, finanziere trapiantato a Londra e ideatore del fondo d'investimento speculativo Algebris. Una rete che si stringe intorno a Carrai e alla sua Cys4, società per la cyber sicurezza. La stessa società a cui il governo si è aggrappato per giustificare le competenze di «Marchino», come lo chiamano gli amici, a guidare il comparto dell'intelligence.

Facciamo un passo indietro. Nel 2012 Carrai vola in Lussemburgo per registrare una società, la Wadi Ventures Management Company Sarl. In quel momento lui ha già un incarico pubblico in una controllata del Comune di Firenze, la Firenze Parcheggi, dove è stato insediato su richiesta espressa all'amico Matteo Renzi. Non solo. Carrai è anche nella fondazione Big Bang che sta finanziando l'ascesa politica di Renzi, in quel periodo impegnato nelle primarie contro Pier Luigi Bersani alla guida del Pd. Svolge un ruolo fondamentale per la cassaforte dell'attuale premier: ha il compito di trovare imprenditori, amici e non, disposti ad aprire il portafogli. Insomma, di impegni ne ha tanti. Eppure si prende la briga di spiccare il volo per fondare la Wadi, con poche migliaia di euro e un pugno di soci. Gli stessi che poi negli anni, con l'avanzare della carriera renziana, diventeranno di peso.

C'è innanzitutto la Jonathan Pacifici & Partners Ltd, società israeliana del lobbista Jonathan Pacifici, magnate delle start up che dalla «Silicon valley» di Tel Aviv stanno conquistando il mondo. A Carrai e Pacifici si uniscono la società Sdb Srl di Vittorio Giaroli, i manager Renato Attanasio Sica e Giampaolo Moscati. I cinque capitani della Wadi Sarl sono gli stessi che nel 2016, quando Carrai è lanciato verso la cyber security, controllano il 33 per cento della Cys4 che ha sede in Italia. Ma perché allora creare una fotocopia in Lussemburgo proteggendola da occhi indiscreti?

La risposta arriva dalle visure camerali estere. Fine principale della Wadi Sarl è sottoscrivere e acquisire le partecipazioni di un'altra società, omonima e sempre lussemburghese: la Wadi Ventures Sca. Questa nasce nel novembre del 2012, quando Renzi è in piena campagna elettorale. Il giorno 27 di quel mese Serra mette mano al portafoglio e versa i primi cinquantamila euro nella Wadi Sca. E nelle stesse settimane Carrai, in Italia, pone le basi della Cys4. Il 26 ottobre 2012, infatti, «Marchino» crea l'embrione della sua futura creatura: si chiama Cambridge Management Consulting Labs. È una società che si occupa di consulenza per aziende, iscritta alla Camera di commercio il 6 novembre dello stesso anno, appena un mese prima delle primarie.

I soci della Cambridge? Gli stessi della Wadi Sarl lussemburghese. Che così controllano anche la cassaforte Wadi Sca. Nella quale, dopo Serra, fa il suo ingresso anche la Fb Group Srl di Marco Bernabé, già socio della Cambridge. Stessi uomini, società diverse, che dal Lussemburgo portano a Israele. Bernabé è infatti socio di un'altra Wadi Ventures, con sede a Tel Aviv, al 10 di Hanechoshet Street. Dettaglio interessante: è la stessa sede israeliana dell'italianissima Cambridge.

Nella Wadi, tra gli altri, nel 2013 entra anche Francesco Valli, acquistando centomila euro di nuove azioni. Fino al 2012 Valli è il capo della British American Tobacco Italy. La lobby del tabacco nel nostro paese è da sempre impegnata nella battaglia sull'aumento delle accise. Il collegato alla legge di stabilità prevede, per esempio, un incremento di 40 centesimi sui pacchetti più economici. Provvedimento che però non vedrà mai la luce. Nel luglio del 2014, lo abbiamo visto, la stessa Bat versa centomila euro alla fondazione Open di Renzi.

Al gruppo si aggiunge anche Luigi Maranzana, che acquista azioni sempre per centomila euro. Si tratta dello stesso Maranzana che oggi riveste la carica di presidente della Intesa Sanpaolo Vita, ramo assicurativo del gruppo bancario guidato da Giovanni Bazoli. Nella Wadi Sca dopo poco entrano cinque nuovi soci portando il capitale a un milione cinquantamila euro. A controllare il tutto è sempre Carrai.

Nella primavera del 2014, dopo aver conquistato la segreteria del Pd e varcato Palazzo Chigi, Renzi è già impegnato nella sua prima tornata di nomine per le aziende di Stato. E nel cda di Finmeccanica entra un uomo che l'ha sostenuto sin dall'inizio: Fabrizio Landi, esperto del settore biomedicale, tra i primi finanziatori della Leopolda con diecimila euro. «Ma lei pensa che con diecimila euro ci si compra un posto nella società più tecnologica del paese?» spiega all'Huffington Post. In effetti, tre mesi dopo la sua nomina, Landi versa altri settantacinquemila euro comprando altrettante azioni della Wadi Sca. Non è l'unico a incrementare il capitale della società e, soprattutto, a diventare socio del gruppo legato a Carrai. C'è anche un importante imprenditore che, proprio in quelle settimane di aprile, fatica a farsi ascoltare dall'ex ministro per le Infrastrutture Maurizio Lupi, nonostante gestisca appalti pubblici per miliardi. Il suo nome è Michele Pizzarotti.

Per parlare con il ciellino dell'Ncd, quest'ultimo deve passare attraverso tale Franco Cavallo, detto «zio Frank», che organizza per Lupi cene da diecimila euro: «Inizia alle sette? A che ora finirà? Si cena in piedi?» chiede Pizzarotti a Cavallo il 19 marzo 2014, annunciandogli la sua presenza. Dodici giorni dopo, il 1° aprile 2014, «zio Frank» gli fissa un appuntamento telefonico con Emanuele Forlani, della segreteria di Lupi, ma l'aggancio non funziona. «Mi ha detto "devo vedere"» spiega l'imprenditore al mediatore. «Per l'amor di Dio sarà impegnatissimo, però, ragazzi, stiamo parlando di rapportarci con un'impresa che ha in ballo quattro miliardi di opere bloccate per motivi burocratici assurdi.» Cinque mesi dopo, Pizzarotti versa centomila euro in Lussemburgo, alla Wadi Sca, diventando socio degli uomini più vicini a Renzi. Eppure le start up non hanno mai rappresentato il suo core business.

Sessanta giorni dopo il versamento, il premier è a Parma, proprio nell'azienda Pizzarotti, dove lo accolgono il patron Paolo con i figli Michele ed Enrica: «Occorre far ripartire l'edilizia – dice l'ex sindaco davanti alle tv –, il governo vuol sostenere le imprese italiane all'estero».

Dopo la pubblicazione dell'inchiesta de «il Fatto», lo stesso Pizzarotti spiegherà di non sapere che la società fosse controllata da Carrai e che a chiedergli di investire «è stato Pacifici». E aggiungerà: «L'ho scelta perché investe in start up in Israele, paese più innovativo assieme alla California, dove peraltro la mia impresa lavora, nella convinzione di fare un affare azzeccato. Pacifici mi invia periodicamente report sull'andamento dei nostri investimenti».

E Israele, in questa storia, è davvero centrale.

Alla Wadi Sarl, nell'estate del 2014, si aggiunge un'altra società, la Leading Edge, che è riconducibile a Reuven Ulmansky. Ulmansky è un veterano dell'Unit 8200, l'unità dell'esercito israeliano creata nel 1952, equivalente alla National security agency (Nsa) degli Usa, dedita da sempre alla guerra cibernetica e alla raccolta dati per l'intelligence di Tel Aviv. Ulmansky è socio di Carrai e degli stessi uomini che, pochi mesi dopo, nel dicembre del 2014, partecipano con il 33 per cento alla neonata creatura Cys4 che, guarda caso, vanta tre sedi in Italia e una in Israele.

Ricapitoliamo: chi sono i soci della Cys4? Per il 33 per cento, appunto, Sica, Moscati, la Fb di Bernabé, Pacifici e Carrai. Quali sono quelli della lussemburghese Wadi Sarl? Sica, Moscati, Bernabé, Pacifici, Carrai. E ancora: Sica, Moscati e Carrai amministrano la cassaforte Wadi Sca, dove hanno investito i loro soldi Serra, il futuro capo di Sanpaolo Vita, Maranzana, il consigliere di Finmeccanica (nominato dal governo Renzi) Landi, l'uomo della lobby del tabacco Valli, il grande imprenditore Pizzarotti.

Con il numero di soci, aumenta anche il numero di soldi e azioni. Il 30 novembre 2014 la società porta il capitale a 1,5 milioni e delibera aumenti fino a tre milioni. Tutti gestiti dagli stessi uomini che controllano, attraverso la Cambridge, il 33 per cento della Cys4. E sul fronte italiano che cosa accade? La Cambridge – amministrata sempre dallo stesso gruppo: Carrai, Pacifici, Moscati, Sica e Bernabé – nel 2014 vede esplodere il suo fatturato da 46.000 a 1,5 milioni di euro.

Una rete di società a dir poco opaca, quella che ruota attorno a Carrai e alla sua Cys4. E la sua nomina viene fermata all'ingresso del Quirinale. Per la seconda volta in pochi mesi. Ma il premier Renzi non demorde. Ridisegna l'intera intelligence del paese, ridistribuendo poteri, rischiando di creare squilibri e frizioni con il Colle. Il tutto solo per creare un ruolo chiave da assegnare al suo Richelieu. E in attesa del momento propizio per nominarlo alla cyber security, Renzi, a inizio aprile del 2016, annuncia che inserirà Carrai nel suo staff a Palazzo Chigi come consulente. Appena dieci giorni dopo, però, viene smentito: è sempre «il Fatto» a rendere noto che, sì, Carrai avrà una consulenza, ma non a Palazzo Chigi bensì al Dis, il dipartimento dei servizi segreti. E avrà una delega alla cyber security per quanto riguarda i rapporti con Israele.

Le amicizie pericolose di «Marchino»

Se per avere la licenza di 007 il Richelieu del premier doveva spogliarsi dei suoi tanti conflitti di interessi – motivo per cui il Quirinale ha rispedito al mittente l'incarico almeno due volte –, con il mantello della consulenza il problema si risolve: Carrai può portare con sé l'ingombrante bagaglio, che non contiene solo gli incarichi pubblici come la presidenza di Toscana Aeroporti o la poltrona nel consiglio di amministrazione della fondazione Open, né si limita alle aziende in Lussemburgo e in Israele come la Wadi Ventures.

Il conflitto di interessi si estende anche ai rapporti mai chiariti né tanto limpidi con personaggi dal passato controverso, a partire da Michael Ledeen, ritenuto vicino ai servizi segreti americani e a quelli israeliani, noto per aver fatto da consigliere della presidenza della Casa bianca durante la crisi della base militare di Sigonella, nel 1985, quando si inserì nella traduzione simultanea della conversazione tra Ronald Reagan e Bettino Craxi, scavalcando di fatto il traduttore ufficiale Thomas Longo Jr, capo dell'Italian desk del dipartimento di Stato che, a causa delle proteste, verrà allontanato. Di lui si conosce poco altro nonostante abbia superato i settant'anni di età. Si sa che ha avuto rapporti con uomini della P2 e che è molto legato a Marco Carrai, per il cui matrimonio, a cui ha fatto da testimone l'amico Renzi, è decollato da Washington alla volta di Firenze nel settembre del 2014.

Quello tra i due è un rapporto coltivato negli anni. Nel 2006, quando l'attuale premier è alla Provincia di Firenze, l'ente paga un viaggio a Ledeen dalla capitale Usa al capoluogo toscano, organizzato proprio da Carrai, all'epoca capo gabinetto del presidente. Motivo? Far conoscere a Renzi l'amico statunitense. Due anni dopo, nell'autunno del 2008, sempre a spese della Provincia, Renzi e Carrai fanno il tragitto inverso e ricambiano la visita a Washington.

In Italia Ledeen ha altri buoni amici e condivide le sue conoscenze con il braccio operativo del presidente del Consiglio.

In particolare quella con Naor Gilon, dal 2014 ambasciatore d'Israele a Roma. Da allora, infatti, il diplomatico apparirà più volte al fianco del futuro consulente del Dis. Insieme organizzano un convegno con Confindustria sponsorizzato anche da Aeroporti Toscani. Ma soprattutto pianificano la visita a Firenze, nell'agosto del 2015, del premier israeliano Benjamin Netanyahu, che entrambi accolgono nell'aeroporto di Peretola e presentano poi a Renzi con una cerimonia a Palazzo Vecchio.

Non va mai dimenticato che Carrai, lo abbiamo visto, ha interessi privati a Tel Aviv. Legami importanti, che conserverà e porterà con sé quando indosserà il mantello di consulente del Dis.

Ledeen e Gilon si conoscono dal 1996. Il loro rapporto è nato a Washington e si è sviluppato e consolidato attraverso l'Aipac, acronimo di American Israel Public Affairs Committee: la lobby pro Israele negli Stati Uniti, la più potente al mondo, il cui sostegno è ritenuto fondamentale per ogni candidato alla Casa bianca. Tant'è che il 21 marzo 2016 sia il repubblicano Donald Trump sia la democratica Hillary Clinton intervengono al convegno Aipac.

Se è ritenuta determinante dalla politica, la lobby lo è altrettanto per i servizi di sicurezza americani da cui è temuta e costantemente monitorata perché più volte sono stati individuati al suo interno uomini dei servizi segreti del Mossad. E per quanto forti siano i rapporti di amicizia tra gli Stati Uniti e Israele, il Pentagono non ama intrusioni straniere nella propria intelligence. In una recente inchiesta dell'Fbi, infatti, chiamata proprio Aipac, si è scoperto un flusso illegale di informazioni strettamente riservate della presidenza statunitense al Mossad da cui emerge anche il legame tra Ledeen e Gilon. L'inchiesta spingerà entrambi a lasciare Washington.

Per questa vicenda Lawrence Franklin – capo analista dell'allora sottosegretario alla Difesa Douglas Feith e capo della divisione mediorientale come specialista iraniano – è inizialmente condannato a dodici anni e sette mesi di carcere dal Tribunale della Virginia per aver trasmesso informazioni top secret a due esponenti della lobby – Steven Rosen, il responsabile del desk iraniano e Keith Weissman, analista di alto livello per il Medio Oriente – e a un diplomatico israeliano dell'ambasciata di Tel Aviv a Washington: proprio Naor Gilon. All'inizio del procedimento penale quest'ultimo è rientrato nella capitale israeliana, da dove poi è stato spedito come ambasciatore in Italia. E proprio a Roma è stato organizzato un incontro tra Franklin e Harold Rhode, uomo del Pentagono esperto di questioni islamiche, con Manucher Ghorbanifar, già protagonista dello scandalo Iran-Contra: inchiesta svolta a metà degli anni Ottanta in cui fu scoperto un traffico illegale di armi con Teheran su cui vigeva all'epoca dei fatti l'embargo. L'incontro nella capitale, ricostruisce l'indagine, viene favorito proprio da Michael Ledeen che, secondo un report dell'Fbi allegato agli atti, ha un profondo legame con lo stesso Franklin, almeno dal 2001: la Cia, infatti, ritiene che siano loro due i veri ispiratori del falso dossier sull'uranio nel Niger utilizzato dall'amministrazione Bush per giustificare l'invasione in Iraq.

Ma torniamo all'inchiesta Aipac. Questa viene avviata a metà degli anni Novanta e ripresa con forte impulso nel 2001, immediatamente dopo l'attacco alle Torri gemelle dell'11 settembre. Gli uomini dell'Fbi stilano una lista di associazioni americane attive negli Stati Uniti e vicine alle lobby di paesi mediorientali, tra cui proprio l'Aipac. All'inizio del 2003, nel corso di uno dei molti appostamenti compiuti, gli agenti scoprono un collegamento chiave: seguendo Steven Rosen e Keith Weissman arrivano fuori da un bistrot dove i due stanno pranzando. A loro si aggiunge anche Gilon, definito nel report Fbi «specialista del programma di armamento nucleare iraniano». Poi, all'improvviso, arriva una quarta persona che gli agenti conoscono molto bene: si tratta di Franklin. Gli uomini dell'Fbi filmano l'intero pranzo. Franklin estrae da una valigetta alcuni documenti e li poggia sul tavolo. «Ma non vengono consegnati a nessuno» annotano gli agenti. Lui fa il gesto di passarli. «Ma il suo presunto complice è troppo intelligente e si rifiuta di prenderli. Chiede invece di essere informato sul contenuto e Franklin con ogni probabilità accetta» testimonia in merito alla vicenda un funzionario dell'intelligence a «Newsweek».

Gli appostamenti vanno avanti. Come l'inchiesta. A casa di Franklin vengono trovati almeno dodici documenti riservati – tutti relativi agli armamenti nucleari dell'Iran – catalogati come top secret e ammessi esclusivamente all'ufficio del presidente degli Stati Uniti. Gli inquirenti si convincono che lo spionaggio attuato da Israele è dovuto all'opposizione di Tel Aviv alla politica estera dell'America nei riguardi di Teheran, ritenuta troppo blanda. Passando attraverso l'Aipac, Israele avrebbe cercato di influenzare le scelte degli Usa in Medio Oriente. Non è un caso che Franklin lavorasse in uno dei centri del Pentagono che più hanno promosso, con ogni mezzo, la guerra all'Iraq, aggirando anche il dipartimento di Stato e la stessa Cia: il segretissimo Office of Special Plans messo in piedi dal viceministro della Difesa Paul Wolfowitz e dal sottosegretario Douglas Feith. Ufficio che aveva rapporti diretti ed esclusivi con Donald Rumsfeld, potente segretario alla Difesa, fidatissimo consigliere del presidente George W. Bush.

Tutti questi antefatti spiegano perché lo stretto e poco trasparente legame di amicizia di Ledeen e Gilon con Carrai potrebbe mettere in imbarazzo i servizi segreti italiani e la presidenza del Consiglio, e creare serie difficoltà anche e soprattutto alla diplomazia internazionale del paese.

Epilogo

Foto di gruppo

È il 18 gennaio 2016. Nel tardo pomeriggio, nei corridoi di
Palazzo Chigi, su diversi smartphone del Giglio magico appaiono le medesime foto: sono quelle che le agenzie distribuiscono agli abbonati, scattate in diretta dalla sala del Tempio
di Adriano dove è in corso la presentazione del libro *Il patto
del Nazareno* scritto dal parlamentare toscano di Forza Italia
prima e di Ala poi Massimo Parisi. Le immagini lo immortalano insieme al suo padre politico, Denis Verdini. Ma riportano anche l'arrivo di un imprenditore che si accomoda in
prima fila, Antonio Angelucci, che è un parlamentare amico
di entrambi, è vero, ma milita in Forza Italia e non nel loro
giovanissimo movimento politico. E soprattutto è l'editore di
«Libero». Infine i fotografi immortalano anche lui, Luigi Bisignani.

A molti nel Palazzo sembra tornare tutto. Mettere insieme i
pezzi, del resto, non è difficile. Due giorni dopo c'è il voto al
Senato sulla riforma costituzionale e poi un nuovo passaggio
per la mozione di sfiducia al governo sul caso Etruria: i voti di
Verdini in quel ramo del parlamento sono indispensabili alla
maggioranza. Proprio sulla riforma della Carta, Boschi e Renzi
hanno scommesso tutto, fino a minacciare di fare le valigie in
caso di fallimento.

La sera del 20 gennaio i voti favorevoli che appaiono sul
tabellone di Palazzo Madama sono 180: diciannove in più

dei 161 della maggioranza assoluta richiesta. I conti parlano chiaro: dai partiti di governo arrivano 158 sì, un numero non sufficiente per l'approvazione. Sono determinanti, dunque, i diciassette senatori del gruppo Ala di Verdini, ai quali si aggiungono anche due dissidenti di Forza Italia e tre eletti nelle fila della Lega e poi fuoriusciti dal Carroccio per seguire Flavio Tosi. Senza l'amico Verdini, Renzi, sempre se avesse mantenuto le promesse, sarebbe tornato a casa.

Non passano neanche ventiquattr'ore dal voto che il premier restituisce la cortesia affidando a tre senatori di Ala una poltrona di vicepresidente di commissione parlamentare: Pietro Langella al Bilancio, Giuseppe Compagnone alla Difesa ed Eva Longo alle Finanze. Il gruppo di Verdini entra, di fatto, nel governo. E il 27 gennaio, quando a Palazzo Madama arrivano le due mozioni di sfiducia contro l'esecutivo per le vicende di Banca Etruria, Ala vota nuovamente con la maggioranza.

La sintesi più calzante di quella che appare la definitiva archiviazione dei guai legati a papà Boschi la regala al termine della seduta il senatore Maurizio Gasparri, che rivolgendosi a Verdini assicura: «Ora puoi andare anche a pranzo con Carboni: se ci andavi con il centrodestra ti incriminavano per la P3, se vai con la famiglia Boschi sei un cacciatore di teste».

Dal Cencelli al Renzelli

Le poltrone regalate a Verdini costano a Renzi un rimpasto di governo. L'ingresso nell'esecutivo del movimento Ala, infatti, fa venire fame di incarichi all'alleato fedele dagli esordi: il Nuovo centrodestra di Angelino Alfano. E così il premier è costretto a pagare pegno e a riconoscere anche al partito del ministro dell'Interno un obolo commisurato a quello versato ad Ala.

Il 28 gennaio 2016 la squadra di governo sale da 56 a 64 membri, cinque dei quali sono dell'Ncd: Federica Chiavaroli, Dorina Bianchi, Antonio Gentile, Simona Vicari ed Enrico

Costa. «Dal manuale Cencelli al manuale Renzelli, con Ncd che ha più ministri che voti #rimpasto #todocambia», commenta sarcastico su Twitter il senatore bersaniano del Pd Miguel Gotor. Il presidente del Consiglio non risponde, ovviamente. Anzi si dice orgoglioso di aver realizzato questo rimpasto per rinsaldare la sua maggioranza, nella quale, nel maggio del 2016, farà il suo ingresso stabilmente anche Verdini con il suo gruppo di parlamentari.

È il prezzo da pagare. Alla riforma costituzionale. Alle leggi passate. Alla fedeltà della stampella di Alfano – antecedente a quella di Verdini – che sarà indispensabile, fin dal principio, anche per minare l'esecutivo di Enrico Letta e fare spazio a lui, al «Matteo di Palazzo».

Eppure il «Matteo rottamatore», quello che nel gennaio del 2014 ancora deve conquistare Roma, in merito al rimpasto la pensa molto diversamente. Commentando la proposta, avanzata al capo dello Stato dal suo predecessore, di rimettere mano all'esecutivo, intima: «Parlare di rimpasto è roba da Prima repubblica. Che noia. Vi prego: parliamo di cose concrete».

Basteranno appena due anni per far cambiare idea al segretario del Pd. Il rimpasto ora è di nuovo di stretta attualità. Riconosciuto e accettato come moneta sonante per pagare il prezzo del potere.

Documenti

Pubblichiamo i principali documenti relativi alle inchieste che hanno messo in imbarazzo il governo. Dal fallimento della Banca popolare dell'Etruria e del Lazio, con il padre del ministro Maria Elena Boschi, vicepresidente dell'istituto di credito, indagato per bancarotta fraudolenta, al mutuo contratto dal padre del premier con la Banca di Pontassieve e firmato dal funzionario dell'istituto Marco Lotti, padre dell'attuale sottosegretario alla Presidenza del Consiglio. Seguono i documenti relativi alle società riconducibili a Marco Carrai con sedi all'estero e soci con importanti interessi nel nostro paese.

BANCA POPOLARE DELL'ETRURIA E DEL LAZIO

VISTO il decreto legislativo 1° settembre 1993, n. 385 (Testo unico delle leggi in materia bancaria e creditizia – TUB) e successive modifiche e integrazioni;

VISTA la legge 28 dicembre 2005, n. 262 recante "Disposizioni per la tutela del risparmio e la disciplina dei mercati finanziari";

VISTO lo Statuto della Banca d'Italia, e in particolare gli artt. 22 e 23 che disciplinano le modalità di adozione dei provvedimenti di competenza del Direttorio;

VISTI il provvedimento della Banca d'Italia del 27 giugno 2011 recante "Disciplina della procedura sanzionatoria amministrativa ai sensi dell'art. 145 del d.lgs. 385/93 e dell'art. 195 del d.lgs. 58/98 e delle modalità organizzative per l'attuazione del principio della distinzione tra funzioni istruttorie e funzioni decisorie (art. 24, comma 1, della legge 28 dicembre 2005, n. 262)" e le Disposizioni di vigilanza in materia di sanzioni e procedura sanzionatoria amministrativa;

CONSIDERATO che la Vigilanza Bancaria e Finanziaria della Banca d'Italia ha accertato, con riguardo alla Banca Popolare dell'Etruria e del Lazio, le irregolarità di seguito indicate:

1. violazione delle disposizioni sulla governance da parte di componenti ed ex componenti il Consiglio di amministrazione e del Direttore generale (art. 53, 1° co., lett. d), art. 67, 1° co., lett. d), d.lgs. 385/93; Disposizioni di vigilanza del 4 marzo 2008 in materia di organizzazione e governo societario delle banche; Comunicazione della Banca d'Italia del 19 febbraio 2009: Organizzazione e governo societario delle banche. Nota di chiarimento – boll. di Vigilanza febbraio 2009);

2. carenze nell'organizzazione e nei controlli interni da parte di componenti ed ex componenti il Consiglio di amministrazione e del Direttore generale (art. 53, 1° co., lett. b) e d), art. 67, 1° co., lett. b) e d), d.lgs. 385/93; Tit. IV, cap. 11 Istr. di Vig. banche – Circ. 229/99; Tit. I, cap. I, parte terza e quarta, Nuove disposizioni di Vigilanza prud.le per le banche – Circ. 263/06; Disposizioni in materia di "continuità operativa in casi di emergenza" – boll. di Vigilanza luglio 2004; Provvedimento del Governatore del 29/7/2009 e successive modifiche e integrazioni – Disposizioni in materia di trasparenza delle operazioni dei servizi bancari e finanziari. Correttezza delle relazioni tra intermediari e clienti);

3. carenze nella gestione e nel controllo del credito da parte di componenti ed ex componenti il Consiglio di amministrazione e del Direttore generale (art. 53, 1° co., lett. b) e d), art. 67, 1° co., lett. b) e d), d.lgs. 385/93; Tit. IV, cap. 11 Istr. di Vig. banche – Circ. 229/99; Tit. I, cap. I, parte quarta, Nuove disposizioni di Vigilanza prud.le per le banche – Circ. 263/06);

4. carenze nei controlli da parte di componenti ed ex componenti il Collegio sindacale (art. 53, 1° co., lett. b) e d), art. 67, 1° co., lett. b) e d), d.lgs. 385/93; Tit. IV, cap. 11 Istr. di Vig. banche - Circ. 229/99; Tit. I, cap. I, parte quarta, Nuove disposizioni di Vig. prud.le per le banche – Circ. 263/2006; Disposizioni di Vigilanza del 4 marzo 2008 in materia di organizzazione e governo societario delle banche);

5. violazioni in materia di trasparenza da parte del Direttore generale (artt. 117 bis e 118, 2° co., d.lgs. 385/93; Provvedimento del Governatore del 29/7/2009 e successive modifiche e integrazioni – Disposizioni in materia di trasparenza delle operazioni dei servizi bancari e

Banca Etruria - Boschi – Le sanzioni comminate nel 2014 da Banca Italia ai vertici di Etruria e a Pier Luigi Boschi nel suo ruolo di consigliere di amministrazione della Popolare, incarico assunto nel 2011.

finanziari. Correttezza delle relazioni tra intermediari e clienti; Delibera CICR del 30 giugno 2012);

6. omesse e inesatte segnalazioni all'O.d.V da parte di componenti ed ex componenti il Consiglio di amministrazione e il Collegio sindacale e del Direttore generale (artt. 51 e 66, 1° e 2° co., d.lgs. 385/93; Tit. VI, cap. 1 Istr. Vig. banche – Circ. 229/99).

CONSIDERATO che le suddette irregolarità sono state contestate secondo le formalità previste dall'art. 145 TUB ai soggetti ritenuti responsabili e alla banca, responsabile in solido;

– omissis –

VISTA la nota (omissis) con la quale il Servizio Costituzioni e Gestione delle Crisi, in osservanza del principio della distinzione tra funzioni istruttorie e funzioni decisorie rispetto all'irrogazione della sanzione, fissato dall'art. 24 della legge 262/05, ha proposto al Direttorio della Banca d'Italia, in conformità del parere espresso dalla Commissione per l'esame delle irregolarità, l'applicazione di sanzioni amministrative pecuniarie di cui all'art. 144 TUB nei confronti degli esponenti interessati, trasmettendo i relativi atti;

VISTO il parere dell'Avvocato Generale (omissis);

LA BANCA D'ITALIA

Preso atto che sussistono, in base alle motivazioni esposte nella citata proposta, qui integralmente richiamate e recepite, gli estremi per l'irrogazione di sanzioni amministrative pecuniarie;

DISPONE

A carico delle persone di seguito indicate, nella qualità precisata, sono inflitte, ai sensi dell'art. 144 TUB, le seguenti sanzioni amministrative pecuniarie:

Componenti ed ex componenti il Consiglio di amministrazione:

Fornasari Giuseppe (Presidente)

Per le irregolarità *sub* 1) euro 48.000,00
Per le irregolarità *sub* 2) euro 48.000,00
Per le irregolarità *sub* 3) euro 48.000,00
Per le irregolarità *sub* 6) euro 36.000,00

Complessivamente: euro 180.000,00

Rosi Lorenzo, Inghirami Giovanni, Fazzini Enrico, Crenca Giampaolo, Guerrini Natalino, Bonaiti Alberto

Per le irregolarità *sub* 1) euro 36.000,00 ciascuno
Per le irregolarità *sub* 2) euro 36.000,00 ciascuno
Per le irregolarità *sub* 3) euro 48.000,00 ciascuno
Per le irregolarità *sub* 6) euro 36.000,00 ciascuno

Complessivamente: euro 156.000,00 ciascuno

Nataloni Luciano

Per le irregolarità *sub* 1) euro 36.000,00
Per le irregolarità *sub* 2) euro 48.000,00

Per le irregolarità *sub* 3) euro 36.000,00
Per le irregolarità *sub* 6) euro 36.000,00

Complessivamente: euro 156.000,00

Orlandi Andrea, Cirianni Giovan Battista, Bonollo Luigi, Boschi Pier Luigi

Per le irregolarità *sub* 1) euro 36.000,00 ciascuno
Per le irregolarità *sub* 2) euro 36.000,00 ciascuno
Per le irregolarità *sub* 3) euro 36.000,00 ciascuno
Per le irregolarità *sub* 6) euro 36.000,00 ciascuno

Complessivamente: euro 144.000,00 ciascuno

Berni Alfredo

Per le irregolarità *sub* 1) euro 24.000,00
Per le irregolarità *sub* 2) euro 36.000,00
Per le irregolarità *sub* 3) euro 24.000,00
Per le irregolarità *sub* 6) euro 36.000,00

Complessivamente: euro 120.000,00

Direttore generale:

Bronchi Luca

Per le irregolarità *sub* 1) euro 48.000,00
Per le irregolarità *sub* 2) euro 48.000,00
Per le irregolarità *sub* 3) euro 48.000,00
Per le irregolarità *sub* 5) euro 22.500,00
Per le irregolarità *sub* 6) euro 36.000,00

Complessivamente: euro 202.500,00

Componenti ed ex componenti il Collegio sindacale:

Tezzon Massimo (Presidente)

Per le irregolarità *sub* 4) euro 48.000,00
Per le irregolarità *sub* 6) euro 36.000,00

Complessivamente: euro 84.000,00

Polci Carlo, Neri Gianfranco, Cerini Paolo, Arrigucci Franco

Per le irregolarità *sub* 4) euro 36.000,00 ciascuno
Per le irregolarità *sub* 6) euro 36.000,00 ciascuno

Complessivamente: euro 72.000,00 ciascuno

Totale complessivo delle sanzioni: euro 2.542.500,00

– omissis –

Roma, 23.09.2014

IL GOVERNATORE: I. VISCO

* * *

BANCA D'ITALIA

EUROSISTEMA

VISTO il decreto legislativo 1° settembre 1993, n. 385 (Testo unico delle leggi in materia bancaria e creditizia – TUB) e successive modifiche e integrazioni;

VISTO l'art. 2 del decreto legislativo 12 maggio 2015, n. 72, recante "Disposizioni transitorie e finali concernenti le modificazioni del decreto legislativo 1° settembre 1993, n. 385";

VISTA la legge 28 dicembre 2005, n. 262 recante "Disposizioni per la tutela del risparmio e la disciplina dei mercati finanziari";

VISTO lo Statuto della Banca d'Italia, e in particolare gli artt. 22 e 23 che disciplinano le modalità di adozione dei provvedimenti di competenza del Direttorio;

VISTI il provvedimento della Banca d'Italia del 27 giugno 2011 recante "Disciplina della procedura sanzionatoria amministrativa ai sensi dell'art. 145 del d.lgs. 385/93 e dell'art. 195 del d.lgs. 58/98 e delle modalità organizzative per l'attuazione del principio della distinzione tra funzioni istruttorie e funzioni decisorie (art. 24, comma 1, della legge 28 dicembre 2005, n. 262)" e le Disposizioni di vigilanza in materia di sanzioni e procedura sanzionatoria amministrativa e il provvedimento della Banca d'Italia del 22 settembre 2015;

CONSIDERATO che la Vigilanza Bancaria e Finanziaria della Banca d'Italia ha accertato, con riguardo alla Banca Popolare dell'Etruria e del Lazio scarl, ora in liquidazione coatta amministrativa, le irregolarità di seguito indicate:

1. carenze nel governo, nella gestione e nel controllo dei rischi e connessi riflessi sulla situazione patrimoniale da parte dei componenti il disciolto Consiglio di amministrazione in carica nell'ultimo biennio (art. 67, 1° co., lett. b) e d), d.lgs. 385/93; tit. IV, cap. 11, Istr. Vig. banche - Circ. 229/99; tit. I, cap. 1, parte quarta, Nuove disposizioni di Vig. prud.le per le banche - Circ. 263/06; Disposizioni di Vigilanza del 4 marzo 2008 in materia di organizzazione e governo societario delle banche; Parte I, Tit. IV, cap. I, Circ. 285/13; Tit. V, cap. 7, Circ. 263/06, 15° agg. del 2/7/2013);

2. carenze nel governo, nella gestione e nel controllo dei rischi da parte degli ex componenti il Consiglio di amministrazione in carica fino ai primi mesi del 2014 (art. 67, 1° co., lett. b) e d), d.lgs. 385/93; tit. IV, cap. 11, Istr. Vig. banche - Circ. 229/99; tit. I, cap. 1, parte quarta, Nuove disposizioni di Vig. prud.le per le banche - Circ. 263/06; Disposizioni di Vigilanza del 4 marzo 2008 in materia di organizzazione e governo societario delle banche; Tit. V, cap. 7, Circ. 263/06, 15° agg. del 2/7/2013);

3. carenze nel governo, nella gestione e nel controllo dei rischi da parte dell'ex Direttore generale (art. 67, 1° co., lett. b) e d), d.lgs. 385/93; tit. IV, cap. 11, Istr. Vig. banche - Circ. 229/99; tit. I, cap. 1, parte quarta, Nuove disposizioni di Vig. prud.le per le banche - Circ. 263/06; Disposizioni di Vigilanza del 4 marzo 2008 in materia di organizzazione e governo societario delle banche; Parte I, Tit. IV, cap. I, Circ. 285/13; Tit. V, cap. 7, Circ. 263/06, 15° agg. del 2/7/2013);

4. inosservanza delle disposizioni in materia di politiche e prassi di remunerazione e incentivazione da parte dei componenti il disciolto Consiglio di amministrazione (art. 67, 1° co., lett. b) e d), d.lgs. 385/93; Disposizioni in materia di politiche e prassi di

Banca Etruria - Boschi – Le sanzioni comminate da Banca Italia ai vertici di Etruria nel 2016, a seguito del commissariamento. Tra le multe più alte, anche quelle a carico di Pier Luigi Boschi in veste di vicepresidente della Popolare.

BANCA D'ITALIA

EUROSISTEMA

remunerazione e incentivazione nelle banche e nei gruppi bancari – Provvedimento Banca d'Italia del 30.3.2011);

5. carenze nei controlli da parte dei componenti il disciolto Collegio sindacale (art. 67, 1° co., lett. b) e d), d.lgs. 385/93; tit. IV, cap. 11, Istr. Vig. banche - Circ. 229/99; tit. I, cap. I, parte quarta, Nuove disposizioni di Vig. prud.le per le banche - Circ. 263/06; Disposizioni di Vigilanza del 4 marzo 2008 in materia di organizzazione e governo societario delle banche; Parte I, Tit. IV, cap. 1, Circ. 285/13; Tit. V, cap. 7, Circ. 263/06, 15° agg. del 2/7/2013);

CONSIDERATO che le suddette irregolarità sono state contestate secondo le formalità previste dall'art. 145 TUB ai soggetti ritenuti responsabili e alla banca, responsabile in solido;

CONSIDERATO che, nella riunione n. 1 del 3-4 febbraio 2016, la Commissione per l'Esame delle Irregolarità, valutate le irregolarità accertate, le controdeduzioni presentate e ogni altro elemento istruttorio, ha ritenuto sussistenti i presupposti per l'irrogazione di sanzioni per le violazioni contestate;

VISTA la nota n. 275226 del 26 febbraio 2016 con la quale il Servizio Coordinamento e Rapporti con l'Esterno, in osservanza del principio della distinzione tra funzioni istruttorie e funzioni decisorie rispetto all'irrogazione della sanzione, fissato dall'art. 24 della legge 262/05, ha proposto al Direttorio della Banca d'Italia, in conformità del parere espresso dalla Commissione per l'Esame delle Irregolarità, l'applicazione di sanzioni amministrative pecuniarie di cui all'art. 144 TUB nei confronti degli interessati, trasmettendo i relativi atti;

VISTO il parere dell'Avvocato Generale n. 279726 del 29 febbraio 2016;

LA BANCA D'ITALIA

Preso atto che sussistono, in base alle motivazioni esposte nella citata proposta, qui integralmente richiamate e recepite, gli estremi per l'irrogazione di sanzioni amministrative pecuniarie;

DISPONE

A carico delle persone di seguito indicate, nella qualità precisata, sono inflitte, ai sensi dell'art. 144 TUB, le seguenti sanzioni amministrative pecuniarie:

Componenti il disciolto Consiglio di amministrazione, in carica nell'ultimo biennio:

- Rosi Lorenzo
- Berni Alfredo
- Boschi Pier Luigi
- Orlandi Andrea
- Nataloni Luciano

BANCA D'ITALIA
EUROSISTEMA

Per le irregolarità sub 1), euro 78.000 ciascuno
Per l'irregolarità sub 4), euro 52.000 ciascuno
Complessivamente, euro 130.000 ciascuno

- Bugno Claudia
- Nannipieri Luigi
Per le irregolarità sub 1), euro 69.500 ciascuno
Per l'irregolarità sub 4), euro 52.000 ciascuno
Complessivamente, euro 121.500 ciascuno

- Salini Claudio
Per le irregolarità sub 1), euro 52.000

Ex Componenti il Consiglio di amministrazione, in carica fino ai primi mesi del 2014:
- Fornasari Giuseppe
- Inghirami Giovanni
- Fazzini Enrico
- Bonollo Luigi
- Cirianni Giovan Battista
- Crenca Giampaolo
Per le irregolarità sub 2) euro 69.500 ciascuno

Ex Direttore generale
- Bronchi Luca
Per le irregolarità sub 3) euro 129.000

Componenti il disciolto Consiglio di Amministrazione, in carica dal maggio 2014:
- Grazzini Giovanni
- Liberatori Alessandro
- Nocentini Anna Maria
- Tosti Ilaria
- Benocci Alessandro
- Catanossi Carlo
- Bonollo Rosanna
Per l'irregolarità sub 4) euro 52.000 ciascuno

Componenti il disciolto Collegio sindacale:
- Tezzon Massimo
- Cerini Paolo

BANCA D'ITALIA
EUROSISTEMA

- Neri Gianfranco
- Polci Carlo
Per le irregolarità sub 5) euro 78.000 ciascuno

- Magnanensi Giovanna
Per le irregolarità sub 5) euro 69.500.

Totale complessivo delle sanzioni: euro 2.236.500.

A norma dell'art. 145, comma 10, TUB, la Banca Popolare dell'Etruria e del Lazio scarl, in liquidazione coatta amministrativa, risponde solidalmente del pagamento, con obbligo di esercitare il regresso verso i responsabili.

Il pagamento deve essere effettuato entro il termine di trenta giorni dalla notifica del presente provvedimento mediante modello F23 dell'Agenzia delle Entrate, reperibile presso qualsiasi concessionario della riscossione, banca o agenzia postale.

Dell'avvenuto pagamento deve essere data immediata comunicazione alla Banca d'Italia - Vigilanza Bancaria e Finanziaria, Via Piacenza 6, 00184 Roma - attraverso l'invio di copia del modello attestante il versamento effettuato.

Decorso il predetto termine senza che sia intervenuto il pagamento, l'esazione della somma dovuta avverrà in base alle norme previste per la riscossione, mediante ruolo, delle entrate dello Stato, degli enti territoriali, degli enti pubblici e previdenziali.

Il presente provvedimento è pubblicato per estratto sul sito web della Banca d'Italia.

Contro il presente provvedimento è ammesso ricorso alla Corte d'Appello di Roma con le modalità e nei termini previsti dall'art. 145, comma 4, TUB, nel testo modificato dal decreto legislativo n. 72 del 2015.

L'opposizione non sospende l'esecuzione del provvedimento.

Il Governatore

Firmato digitalmente da
IGNAZIO VISCO

Delibera 107/2016

Banca Popolare dell'Etruria e del Lazio
Società Cooperativa
in liquidazione coatta amministrativa

Sede legale: Via Pietro Calamandrei 255 – 52100 Arezzo

Roma, 17 marzo 2016

Signor
Arrigucci Franco
▬▬▬▬▬▬
52100 AREZZO

Signor
Benocci Alessandro
▬▬▬▬▬▬
52100 AREZZO

Signor
Catanossi Carlo
▬▬▬▬▬▬
06023 GUALDO TADINO

Signor
Berni Alfredo
▬▬▬▬▬▬
52100 AREZZO

Signor
Cerini Paolo
▬▬▬▬▬▬
52011 BIBBIENA

Signor
Bonaiti Alberto
▬▬▬▬▬▬
23900 LECCO

Signor
Cirianni Giovan Battista
▬▬▬▬▬▬
52100 AREZZO

Signor
Bonollo Luigi
▬▬▬▬▬▬
41043 FORMIGINE (MO)

Signor
Crenca Giampaolo
▬▬▬▬▬▬
00185 ROMA

Signora
Bonollo Rosanna
▬▬▬▬▬▬
03012 ANAGNI (FR)

Signora
Del Tongo Laura
▬▬▬▬▬▬
52041 BADIA AL PINO (AR)

Signor
Boschi Pier Luigi
▬▬▬▬▬▬
52020 LATERINA (AR)

Signor
Fazzini Enrico
▬▬▬▬▬▬
50100 FIRENZE

Signor
Bronchi Luca
▬▬▬▬▬▬
52100 AREZZO

Signor
Federici Augusto
▬▬▬▬▬▬
00187 ROMA

Signora
Bugno Claudia
▬▬▬▬▬▬
00198 ROMA

Signor
Fornasari Giuseppe
▬▬▬▬▬▬
52100 AREZZO

Codice fiscale, Partita Iva e numero di iscrizione al Registro Imprese di Arezzo ▬▬▬210513

Richiesta danni ai vertici Etruria – La richiesta danni presentata ai vertici di Etruria, tra cui Pier Luigi Boschi, dal commissario liquidatore Giuseppe Santoni.

Banca Popolare dell'Etruria e del Lazio
Società Cooperativa
in liquidazione coatta amministrativa

Sede legale: Via Pietro Calamandrei 255 – 52100 Arezzo

Signora
Gatti Elisei Anna
Erede Gatti Gerardo

06121 PERUGIA

Signora
Gatti Margherita
Erede Gatti Gerardo

06121 PERUGIA

Signor
Guerrini Natalino

52100 AREZZO

Signor
Liberatori Alessandro

52100 AREZZO

Signor
Nannipieri Luigi

56021 CASCINA (PI)

Signor
Neri Gianfranco

52100 AREZZO

Signor
Orlandi Andrea

52100 AREZZO

Signor
Polci Carlo

52100 AREZZO

Signor
Gatti Francesco
Erede Gatti Gerardo

06121 PERUGIA

Signor
Grazzini Giovanni

52100 AREZZO

Signor
Inghirami Giovanni

52037 SANSEPOLCRO (AR)

Signora
Magnanensi Giovanna

52100 AREZZO

Signor
Nataloni Luciano

50100 FIRENZE

Signora
Nocentini Anna Maria

52100 AREZZO

Signor
Platania Carlo

50100   50100 FIRENZE

Signor
Rosi Lorenzo

52024 LORO CIUFFENNA (AR)

Banca Popolare dell'Etruria e del Lazio
Società Cooperativa
in liquidazione coatta amministrativa

Sede legale: Via Pietro Calamandrei 255 – 52100 Arezzo

Signor
Salini Claudio

00187 ROMA

Signora
Santonastaso Maria Chiara
Erede Santonastaso Felice Emilio

00193 ROMA

Signor
Tezzon Massimo

00125 ROMA

Signora
Tosti Ilaria

58033 CASTEL DEL PIANO (GR)

Oggetto: *Diffida e messa in mora relativamente ai danni cagionati a BPEL e ai creditori sociali.*

Egregi Signori,

come Vi è noto, Banca Popolare dell'Etruria e del Lazio Società Cooperativa (di seguito "BPEL") è stata posta in liquidazione coatta amministrativa, ai sensi dell'art. 80 TUB, con decreto ministeriale del 9 dicembre 2015 e il Tribunale di Arezzo, con sentenza n. 12 dell'11 febbraio 2016, ne ha dichiarato l'insolvenza.

Pertanto con la presente – valida ad ogni effetto di legge e anche ai fini interruttivi della prescrizione – il sottoscritto, nella sua qualità di commissario liquidatore della BPEL in l.c.a., formula espressa richiesta di ristoro dei danni arrecati alla BPEL, nonché ai creditori sociali, a causa delle condotte illecite e di *mala gestio* per come accertate dalla Autorità di Vigilanza, Banca d'Italia, nonché per come confermate e ulteriormente accertate all'esito delle verifiche degli Organi della Liquidazione coatta amministrativa, e prima dell'Amministrazione straordinaria.

La richiesta è contestualmente rivolta ai membri dei consigli di amministrazione, dei comitati esecutivi, dei collegi sindacali, nonché ai direttori generali nel periodo rilevante, in quanto responsabili in solido *ex* art. 2055 c.c., nonché *ex* artt. 2392, 2394, 2396 e 2407 c.c..

In particolare, i destinatari della presente risultano aver concorso in modo commissivo e/o omissivo nelle gravi irregolarità di gestione della BPEL relative, *inter alia* e salvo ogni ulteriore approfondimento, a:

➢   l'erogazione e successiva gestione di mutui e finanziamenti anche in conflitto di interessi;

Banca Popolare dell'Etruria e del Lazio
Società Cooperativa
in liquidazione coatta amministrativa

Sede legale: Via Pietro Calamandrei 255 – 52100 Arezzo

➢ il depauperamento del patrimonio sociale mediante numerose altre iniziative contrarie alla prudente gestione (in via esemplificativa e non esaustiva: conferimenti di incarichi consulenziali, rilevanti premi aziendali non dovuti ed ulteriori operazioni non trasparenti);

➢ le iniziative di indebito e illecito ostacolo alla vigilanza della Banca d'Italia.

Da tali condotte è derivato un danno complessivo pari almeno a € 300.000.000,00 (trecento/00 milioni), salvo ogni miglior calcolo.

In mancanza di corresponsione del suddetto risarcimento entro e non oltre il termine di 30 giorni dal ricevimento della presente, la Liquidazione si vedrà costretta ad intraprendere le necessarie azioni legali, ivi comprese le azioni revocatorie ove siano stati già compiuti ovvero siano compiuti atti di disposizione del patrimonio in pregiudizio della BPEL in l.c.a. e dei creditori sociali.

Distinti saluti

Il Commissario Liquidatore
Prof. Avv. Giuseppe Santoni

COMUNICAZIONE DELLA SITUAZIONE PATRIMONIALE
REDDITUALE DEL CONIUGE NON SEPARATO E DEI PARENTI ENTRO IL
SECONDO GRADO DEI TITOLARI DI CARICHE DI GOVERNO

La sottoscritta Maria Elena Boschi, nella qualità di Ministro per le riforme costituzionali e i rapporti con il Parlamento,

dichiara che

i genitori Pier Luigi Boschi e Stefania Agresti, i fratelli Emanuele Boschi e Pier Francesco Boschi, la nonna Giuliana Carnesciali, non hanno dato il consenso alla pubblicazione della Dichiarazione patrimoniale e della dichiarazione dei redditi relativamente all'anno 2013, come previsto dall'art. 14, co. 1, lett. f) del Decreto Legislativo del 14 marzo 2013, n. 33.

Roma, 21 maggio 2014

Situazione patrimoniale dei parenti del ministro Boschi – La dichiarazione sottoscritta da Maria Elena Boschi, una volta diventata ministro, per comunicare che i famigliari si erano avvalsi del diritto di non pubblicare il loro stato patrimoniale, le attività lavorative, gli impieghi economici né la titolarità di azioni. Padre e fratello del ministro avevano incarichi in Banca Etruria.

COMUNICAZIONE DELLA POSIZIONE PATRIMONIALE E REDDITUALE DEI
TITOLARI DI CARICHE DI GOVERNO

IV

STRUMENTI FINANZIARI, QUOTE E AZIONI SOCIETARIE, ATTIVITA' PATRIMONIALI
DI CUI SONO TITOLARI INTERPOSTE PERSONE E FIDUCIARI

Denominazione della società (anche estera)	Attività economica	Entità in valore assoluto e percentuale delle quote o azioni possedute	Quotazione o valore patrimoniale al momento della dichiarazione
BANCA ETRURIA	BANCARIA	1.500 AZIONI	0,74 € per AZIONE
B.re VALDARNO	BANCARIA	10 AZIONI	85 € per AZIONE

Eventuali annotazioni:

V

QUOTE DI FONDI COMUNI DI INVESTIMENTO (1)

Denominazione del fondo	Entità della quota in valore assoluto	Valore patrimoniale al momento della dichiarazione

(1) Le quote di fondi comuni non ricadono né nella dichiarazione ex legge n. 215/2004 (conflitto d'interessi) né nella dichiarazione ex legge n. 441/1982 (pubblicità della situazione patrimoniale di titolari di cariche elettive e cariche direttive di alcuni enti).

VI

GESTIONI PATRIMONIALI FIDUCIARIE

Tipo di bene conferito	Gestore	Valore economico

Eventuali annotazioni:

Le azioni Etruria di Maria Elena Boschi – La dichiarazione sottoscritta da Maria Elena Boschi in cui il ministro elenca le azioni possedute, tra cui quelle della Banca popolare dell'Etruria e del Lazio.

REPUBBLICA ITALIANA
IN NOME DEL POPOLO ITALIANO
IL TRIBUNALE CIVILE DI AREZZO
SEZIONE FALLIMENTARE

N. *12/*
N. 335/*
N. *192/*
N. *18/*

Il Tribunale, riunito in camera di consiglio e composto dai sigg. Magistrati:

dr.ssa Clelia Galantino	Presidente
dr. Antonio Picardi	Giudice rel.
dr. Paolo Masetti	Giudice

ha pronunciato la seguente

SENTENZA

nel procedimento rubricato al numero 335 dell'anno 2015

promosso da

SANTONI GIUSEPPE, quale Commissario Liquidatore della Banca Popolare dell'Etruria e del Lazio società cooperativa in liquidazione coatta amministrativa, con sede in Arezzo, via Calamandrei n. 255, codice fiscale 00367210515

ricorrente

contro

ROSI LORENZO, in proprio ed in qualità di ultimo rappresentante legale *pro tempore* della Banca Popolare dell'Etruria e del Lazio società cooperativa in *bonis*, elettivamente domiciliato in San Giovanni Valdarno ▮▮▮▮▮▮▮▮▮ presso lo studio dell'Avv. Antonino Giunta che, con l'Avv. Michele Desario, lo rappresenta e difende in virtù di procura in calce alla comparsa di costituzione

resistente

con l'intervento di

- Banca d'Italia;
- Procura della Repubblica presso il Tribunale di Arezzo;
- Ufficio Commissariale di Banca Popolare dell'Etruria e del Lazio società cooperativa in amministrazione straordinaria.

OGGETTO: dichiarazione dello stato di insolvenza ex art. 82, comma 2, d.lgs.vo 385/1993.

CONCLUSIONI: come da verbale dell'8.2.2016.

Stato d'insolvenza di Banca Etruria.

Art. 11 - A fronte del presente mutuo vengono rilasciate le seguenti garanzie:
Fidejussione rilasciata il 12/08/2009 per EUR 350.000,00 da
BOVOLI LAURA
nata/o a MASSA (MS) il 29/08/1950
c.f. BVLLRA50M69F023N
residente in ▓▓▓▓▓▓▓▓▓▓▓▓▓ RIGNANO SULL' ARNO -
Fidejussione rilasciata il 12/08/2009 per EUR 349.600,00 da
FIDI TOSCANA - S.P.A.
con sede in FIRENZE - PIAZZA DELLA REPUBBLICA 6
iscritta alla CCIAA al n. 00253507 R.D.
c.f. 01062640485

i Mutuatari

per CHIL POST SRL
RENZI TIZIANO

BANCA DI CREDITO COOPERATIVO DI PONTASSIEVE
Gestore Aziende - LOTTI MARCO

Dichiaro/dichiariamo di non essermi/ci avvalso/i del diritto di ricevere dalla Banca, nella fase precontrattuale, copia completa del testo
contrattuale e del relativo documento di sintesi.

i Mutuatari

per CHIL POST SRL
RENZI TIZIANO

Ver.01.002 - PER LA BANCA - Contratto MUTUO N 000/071334/39 del 12/08/2009 - pag. 2/3

Lotti-Renzi – Le firme in calce al mutuo senza garanzie concesso nell'agosto del 2009 da Marco Lotti, padre del sottosegretario Luca, a Tiziano Renzi, genitore del premier.

CDA 2/11/2010

Da Direzione Agenzia Sede   a Direzione Generale

OGGETTO: Chil Post Srl.

Allegato nr. 5

Nel luglio 2009 concedemmo alla Chil Post srl Soc. Unipersonale i seguenti affidamenti:
- Mutuo chirografario di € 437 mila assistito da garanzia 80% Fiditoscana – Liquidità (eur6m+1,55)
- Apercredito c/c a revoca di € 10 mila (eur3m+5)
- Fido promiscuo a revoca di € 250 mila per smobilizzo crediti riba sbf o fatture senza cessione di credito (eur3m+2,50)

Il dispositivo fidi prevedeva fideiussione omnibus di € 350 mila della sig.ra Bovoli Laura (moglie di Tiziano Renzi), proprietaria di immobile in Rignano sull'Arno stimato € 1,7 mln gravato da mutuo di € 800 mila.

Gli accordi con l'amministratore e socio unico sig. Renzi Tiziano prevedevano che la società ci riferisse un buon volume di lavoro mediante utilizzo del fido di smobilizzo crediti. Nonostante le ripetute sollecitazioni da parte nostra nell'anno 2010 e' stata presentata una sola fattura di € 107 mila estinta a fine febbraio. La quota di lavoro riferitaci negli ultimi 12 mesi e' pari a circa l'11% del fatturato.

Intorno alla metà di settembre 2010 il sig. Renzi ci richiese di valutare la nostra disponibilità a liberare la fideiussione della sig.ra Bovoli per poi procedere al trasferimento delle quote di Chil Post Srl alla Sig.ra Ponte Angela, residente a Genova (dove Chil ha una unità locale), la quale si era detta disponibile a firmare una nuova fideiussione di pari importo; il nuovo amministratore sarebbe stato il sig. Gabelli Antonello residente ad Alessandria. Il Renzi ci disse che si trattava di persone che collaboravano con lui da anni e ci riferiva della solidità patrimoniale della sig.ra Ponte Angela.

Il cambio di proprietà era finalizzato a separare la proprietà di Chil Post srl da quella di Chil Promozioni srl, l'altra società della famiglia Renzi creata nel 2008. Entrambe le aziende si occupano di marketing, ricerche di mercato, organizzazione di eventi e distribuzione e recapito di stampe, materiale pubblicitario e giornali. La Chil Promozioni fu creata per evitare che un'unica società svolgesse servizi per testate editoriali concorrenti. Ad oggi però tale divisione ci viene riferita non più sufficiente per motivi di trust poiché di fatto le due società fanno entrambe capo alla famiglia Renzi e dunque per poter acquisire nuove quote di mercato la Chil Post deve essere "formalmente" venduta a terzi, che all'atto pratico fungerebbero da prestanome.

In caso di nostra risposta positiva il Renzi si disse disposto ad aprire i rapporti anche con Chil Promozioni srl e ad aumentare il lavoro riferito su Chil Post che verrebbe ad acquisire nuove commesse di lavoro.

Nei primissimi giorni di ottobre abbiamo espresso telefonicamente al sig. Renzi le nostre perplessità circa la sua richiesta derivanti dal fatto che i nuovi esponenti non sono a noi conosciuti, non fanno parte del nostro territorio di riferimento e che comunque le visure sulla sig.ra Ponte hanno evidenziato un buon patrimonio immobiliare (due abitazioni a Capo Ligure per complessivi 11 vani, fondi commerciali a Campo Ligure per complessivi 250 mq, oltre ad un magazzino di 30 mq) ma con discreti vincoli ipotecari (ipoteche per Euro 2.800.000 con debiti residui per oltre Euro 1.000.000); abbiamo inoltre fatto presente che la garanzia a suo tempo rilasciataci non avrebbe ostato al cambio di proprietà e che avremmo comunque potuto riesaminare la richiesta dopo un periodo di positiva sperimentazione del rapporto con i nuovi nominativi. Nei giorni successivi abbiamo cercato più volte di ricontattarlo sul cellulare per riconfermare quanto peraltro già espresso ma non è mai stato possibile raggiungerlo.

In data 06/10/2010 il sig. Renzi ci scriveva una mail del seguente tenore:

"Sono oggettivamente stupito della Vs latitanza..
Mi preme premettere che se ho usato poco i Vs affidamenti ciò è dipeso da un calo oggettivo del fatturato e che la soluzione che mi sono permesso di proporVi andava invece nella direzione da Voi auspicata di movimentare gli anticipi fatture.
Ma ciò detto, libero quindi dal lieve senso di colpa per non aver completamente ottemperato ad un impegno preso con Lotti, mi preme ribadire che è assolutamente legittimo che non gradiate la soluzione da me proposta...Io capisco con un po' di sforzo , ma ci arrivo.
Ciò che invece mi stupisce e colpisce è l'assenza di una risposta 'ad una necessità, che avevo evidenziato richiedeva comunque un vostro pronunciamento QUALSIASI esso fosse, in tempi celeri ..
Meno male che avendo annusato le vostre perplessità mi sono ingegnato (come ho sempre fatto nella mia vita) per tempo a trovare soluzioni alternative .
Pazienza ....andrà meglio la prossima volta
Cordialità
Tiziano renzi"

La ns. risposta del 13/10/2010 è stata la seguente:

"Gent. Sig. Renzi,

Carteggio banca - Chil Post – I dettagli delle esposizioni concesse dalla Banca di Pontassieve in cui lavora Marco Lotti alla società della famiglia Renzi. Nel 2010 già emergono delle difficoltà a onorare i debiti. Il

nei colloqui telefonici tra noi intercorsi nei primi giorni di ottobre Le avevo chiaramente espresso le nostre difficoltà ad accogliere la richiesta di revoca della fidejussione della sig.ra Bovoli, tanto più in previsione della cessione di quote della Chil Post Srl, confermandoLe che una tale richiesta avrebbe potuto semmai essere valutata dal nostro istituto solo dopo una positiva sperimentazione del rapporto con i nuovi soggetti. L'agenzia ha poi successivamente provato più volte a contattarla sul cellulare, ma soltanto per ribadire quanto già espresso in precedenza.
 Con i più cordiali saluti."

In data 08/10/2010 nel frattempo avevamo ricevuto dalla sig.ra Bovoli, garante della Chil Post srl, una raccomandata a.r. del seguente tenore:

" 07/10/2010
Come avrete notato le necessità di appoggio fiduciario della CHIL POST srl si sono notevolmente ridotte.
Per questo motivo, ai sensi dell'art. 1941 e segg. Del Codice Civile, Vi comunico che la fidejussione da me prestata a Vostro favore nell'interesse della CHIL Post srl, per l'importo di euro 350.000,00 deve da oggi intendersi ridotta fino a concorrenza dell'importo di euro 80.000,00.
Distinti saluti"

02.11.2010

BANCA DI CREDITO COOPERATIVO
DI PONTASSIEVE Soc. Coop.
Ag. Sede

documento, agli atti dell'inchiesta di Genova in merito al fallimento dell'azienda, riporta le email di Tiziano Renzi a cui la banca risponde richiedendo garanzie.

Atto costitutivo della Wadi Ventures Sarl – La Wadi Ventures Sarl viene registrata in Lussemburgo da Marco Carrai e altri soci italiani tra cui Vittorio Sica e Marco Bernabé, tutti con interessi nel Belpaese, non in Lussemburgo. Tra i fondatori figurano anche Jonathan Pacifici e la Leading Edge.

Page 2/3

Associé(s) :
Dénomination ou raison sociale : Leading Edge Ltd.
Forme juridique : Ltd
Pays : Israël
Numéro d'immatriculation : 512918665
Nom du registre : Registre de Commerce et des Sociétés de l'Israël
Siège social de la personne morale :
██████████████████ Mevasseret Tzion
Parts détenues : 50

Dénomination ou raison sociale : FB GROUP SRL
Forme juridique : SRL
Pays : Italie
Numéro d'immatriculation : REA 325310
Nom du registre : RCS de Modena (Italie)
Siège social de la personne morale :
██████████████ Carpi (MO)
Parts détenues : 50 parts sociales

Dénomination ou raison sociale : Jonathan Pacifici & Partners Ltd.
Forme juridique : limited company
Pays : Israël
Numéro d'immatriculation : 513847806
Nom du registre : Registre de Jérusalem
Siège social de la personne morale :
██████████████████Jérusalem
Parts détenues : 50 parts sociales

Dénomination ou raison sociale : SDB Srl
Forme juridique : Srl
Pays : Italie
Numéro d'immatriculation : MI/1979652
Nom du registre : Registre de Commerce et de Sociétés de Milan
Siège social de la personne morale :
███████████████████Milan
Parts détenues : 50 parts sociales

Nom : Carrai Prénom(s) : Marco
Adresse privée ou professionnelle de la personne physique :
██████████████████Greve in Chianti
Parts détenues : 50 parts sociales

Nom : CURCURUTO Prénom(s) : Pier Luigi
Adresse privée ou professionnelle de la personne physique :
████████████████████ Torino
Parts détenues : 50 parts sociales

Nom : Moscati Prénom(s) : Gianpaolo
Adresse privée ou professionnelle de la personne physique :
████████████████Antella
Parts détenues : 50 parts sociales

Nom : Sica Prénom(s) : Renato Attanasio
Adresse privée ou professionnelle de la personne physique :
█████████████████ Rome
Parts détenues : 50 parts sociales

Page 3/3

Administrateur(s)/gérant(s) :
Régime de signature statutaire : (i) La Société est engagée vis-à-vis des tiers en toutes circonstances par les signatures conjointes de deux (2) gérants. (ii) La Société est également engagée vis-à-vis des tiers par la signature de toute personne à qui des pouvoirs spéciaux ont été délégués.

Organe : Conseil de gérance

Nom : BERNABE Prénom(s) : MARCO NORBETO
Fonction : Gérant
Adresse privée ou professionnelle de la personne physique :
███████████████████ Roma
Durée du mandat : Indéterminée   Date de nomination : 29/11/2012

Nom : Giaroli Prénom(s) : Vittorio
Fonction : Gérant
Adresse privée ou professionnelle de la personne physique :
███████████████████ Milan
Durée du mandat : Indéterminée   Date de nomination : 01/08/2012

Nom : Pacifici Prénom(s) : Jonathan
Fonction : Gérant
Adresse privée ou professionnelle de la personne physique :
███████████████████ Jerusalem
Durée du mandat : Indéterminée   Date de nomination : 01/08/2012

(*) Extrait de l'inscription : Pour le détail prière de se reporter au dossier.

Pour extrait conforme (¹)

Luxembourg, le 10/03/2016

Le gestionnaire du registre de commerce et des sociétés (²)

¹ En application de l'article 21 paragraphe 2 de la loi modifiée du 19 décembre 2002 concernant le registre de commerce et des sociétés ainsi que la comptabilité et les comptes annuels des entreprises et l'article 21 du règlement grand-ducal modifié du 23 janvier 2003 portant exécution de la loi du 19 décembre 2002, le présent extrait reprend au moins la situation à jour des données communiquées au registre de commerce et des sociétés jusqu'à trois jours avant la date d'émission dudit extrait. Si une modification a été notifiée au registre de commerce et des sociétés entre temps, il se peut qu'elle n'ait pas été prise en compte lors de l'émission de l'extrait.

² Le présent extrait est établi et signé électroniquement.
Le gestionnaire du registre de commerce et des sociétés ne garantit l'authenticité de l'origine et l'intégrité des informations contenues sur le présent extrait par rapport aux informations inscrites au registre de commerce et des sociétés que si le présent extrait comporte une signature électronique émise par le gestionnaire du registre de commerce et des sociétés.

Wadi Ventures Management Company S.à r.l.,
Société à responsabilité limitée.

Capital social: EUR 17.500,00.

Siège social: L-1331 Luxembourg, 19, boulevard Grande-Duchesse Charlotte.

R.C.S. Luxembourg B 170.798.

In the year two thousand and thirteen, on the tenth of May.

Before Us, MaTtre Martine SCHAEFFER, notary residing in Luxembourg.

THERE APPEARED:

for an extraordinary general meeting (the Meeting) of the shareholders of WADI VENTURES Management COMPANY S.à r.l., a Luxembourg private limited liability company (société à responsabilité limitée), having its registered office at 19, boulevard Grande-Duchesse Charlotte, L-1331 Luxembourg, registered with the Luxembourg Register of Commerce and Companies under number B 170.798 (the Company), which has been incorporated pursuant to a deed of Maître Carlo WERSANDT, notary residing in Luxembourg, acting in replacement of Maître Jean-Joseph WAGNER, notary residing in Sanem, on August 1 st , 2012, published in the Mémorial C, Recueil des Sociétés et Associations number 2324, dated September 18 th , 2012, whose articles of association have not yet been amended since (the Articles):

1. Jonathan Pacifici & Parnters Ltd., a company incorporated and existing under the laws of Israel, registered with the Register of Jerusalem under number 513847806 and with registered office at ▬▬▬▬▬▬▬▬▬▬▬▬▬▬▬Jerusalem,

here represented by Mrs Orietta RIMI, private employee, with professional address at ▬▬▬▬▬▬▬▬▬ ▬▬▬▬▬▬▬▬▬▬▬▬ Luxembourg, by virtue of a power of attorney given in Jerusalem (Israel), on April 19 th , 2013;

2. SDB Srl, a company incorporated and existing under the laws of Italy, registered with the Trade and Companies Register in Milan under number MI/1979652 and with registered office at Via ▬▬▬▬▬▬▬▬▬▬▬▬ Milan,

here represented by Mrs Orietta RIMI, prenamed, by virtue of a power of attorney given in Milan (Italy), on April 19 th , 2013;

3. Mr Marco CARRAI, manager, born in Florence (Italy) on March 16 th , 1975, and residing at Via ▬▬▬▬▬▬▬▬▬▬▬▬▬▬▬▬▬▬ Greve in Chianti,

here represented by Mrs Orietta RIMI, prenamed, by virtue of a power of attorney given in Greve in Chianti (Italy), on April 22 nd , 2013;

4. Mr Gianpaolo MOSCATI, manager, born in Cascina (Italy) on November 28 th , 1945, and residing at ▬▬▬▬▬▬▬▬▬▬▬▬▬▬▬Antella,

Aumento di capitale della Wadi Ventures Sarl – La società a responsabilità limitata registra un aumento di capitale tra i soci con un incremento minimo, ad appena 17.500 euro. Ma attraverso questa sarl viene controllata la omonima Wadi Ventures Sca, registrata sempre in Lussemburgo ed equivalente a una società per azioni. In quest'ultima entreranno i «fedelissimi» di Renzi. A cominciare da Davide Serra.

here represented Mrs Orietta RIMI, prenamed, by virtue of a power of attorney given in Antella (Italy), on April 24 [th], 2013; and

5. Mr Renato Attanasio SICA, manager, born in Kingston, Ontario (Canada) on August 30 [th], 1963, and residing at ▪▪▪▪▪▪▪▪▪▪▪▪▪▪▪▪▪▪▪▪▪▪▪Rome,

here represented by Mrs Orietta RIMI, prenamed, by virtue of a power of attorney given in Rome (Italy), on April 23 [rd], 2013.

Hereinafter the appearing parties are together referred to as the Shareholders.

The said proxies, after having been signed "ne varietur" by the proxyholder of the appearing parties and the undersigned notary, will remain annexed to the present deed for the purpose of registration.

The Shareholders, represented as stated here above, have requested the undersigned notary to enact the following:

I. Currently, Jonathan Pacifici & Partners Ltd. holds fifty (50) shares, SDB Srl holds fifty (50) shares, Mr Marco CARRAI holds fifty (50) shares, Mr Gianpaolo MOSCATI holds fifty (50) shares and Mr Renato Attanasio SICA holds fifty (50) shares, in the share capital of the Company;

II. The agenda of the Meeting is worded as follows:

1. Increase of the subscribed share capital of the Company by an amount of five thousand euro (EUR 5,000) in order to bring the Company's share capital from its present amount of twelve thousand five hundred euro (EUR 12,500) to seventeen thousand five hundred euro (EUR 17,500) by the issuance of one hundred (100) new shares with a par value of fifty euro (EUR 50) each.

2. Subscription and payment of the share capital increase specified in item 1. above by the payment of two new Shareholders by a contribution in cash of an amount of five thousand euro (EUR 5,000) and renunciation of the actual Shareholders to their subscription rights.

3. Subsequent amendment to article 5 of the Articles in order to reflect the increase of the share capital adopted under item 1. above.

4. Amendment of article 4.2. of the English version of the Articles so that it will henceforth have the following wording:

" **4.2.** The Company is not dissolved by reason of the death, suspension of civil rights, incapacity, insolvency, bankruptcy or any similar event affecting one or more shareholders.".

5. Miscellaneous.

III. The Shareholders have taken the following resolutions:

First resolution

The Shareholders resolve to increase the subscribed share capital of the Company by an amount of five thousand euro (EUR 5,000) in order to bring the Company's share capital from its present amount of twelve thousand five hundred euro (EUR 12,500) to seventeen thousand five hundred euro (EUR 17,500) by the issuance of one hundred (100) new shares with a par value of fifty euro (EUR 50) each.

Wadi Ventures S.C.A., **Société en Commandite par Actions.**

Siège social: L-1510 Luxembourg, 8, avenue de la Faïencerie.

R.C.S. Luxembourg B 173.259.

L'an deux mille quatorze, le cinq mars.

Par-devant Maître Martine SCHAEFFER, notaire de résidence à Luxembourg-Ville.

A comparu:

La société anonyme de droit luxembourgeois dénommée WADI VENTURES MANAGEMENT COMPANY S.à r.l, une société à responsabilité limitée constituée et existant sous le droit luxembourgeois, dont le siège social se situe au 5, avenue de la Faïencerie à L-1510 Luxembourg inscrite auprès du registre du commerce et des sociétés de Luxembourg B n° 170798,

ici représentée par Monsieur Gianpiero SADDI, clerc de notaire, demeurant professionnellement à Luxembourg,

agissant sur base d'une résolution du conseil d'administration de WADI VENTURES MANAGEMENT COMPANY S.à r.l., une copie du susdit conseil d'administration reste annexé au présent,

en sa qualité de gérant unique commandité de la société en commandite par actions dénommée «WADI VENTURES S.C.A.», ayant son siège social à L-1510 Luxembourg, 8, Avenue de la Faïencerie,

constituée par acte reçu par le notaire soussigné en date du 4 octobre 2012, publié au Mémorial C numéro 149 du 22 janvier 2013,

Laquelle société comparante, ès-qualitée qu'elle agit, a requis le notaire instrumentant d'acter les déclarations suivantes:

1.- Que le capital social de la société prédésignée s'élève actuellement à DEUX CENT CINQUANTE MILLE ET UN EUROS (250.001.- EUR), représenté par deux cent cinquante mille (250.000) Actions de commanditaire - Série A (les «actions A»), d'une valeur nominale d'UN EURO (1.- EUR), et une (1) action ordinaire (action de commandité) d'une valeur nominale d'UN EURO (1.- EUR), toutes souscrites et intégralement libérées.

2.- Qu'aux termes du 2 ^{ème} alinéa de l'article 5 des statuts, la société a un capital autorisé qui est fixé à TROIS MILLIONS SOIXANTE MILLE EUROS (3.060.000.- EUR),

divisé en 3.059.999 Actions Série A actions préférentielles à dividende supplémentaire rachetables

et 1 Action Ordinaire d'une valeur nominale d'UN EURO (1.- EUR),

et que le même article autorise le gérant commandité à augmenter le capital social dans les limites du capital autorisé.

I primi soci della Wadi Ventures Sca – La società delibera un primo aumento di capitale da 250.000 euro a 1.050.000 nel marzo del 2014, un mese dopo l'insediamento del governo Renzi. L'aumento viene realizzato attraverso l'emissione di nuovi pacchetti azionari che vengono venduti, tra gli altri, a Davide Serra, Marco Bernabé, Luigi Maranzana, Francesco Valli e altri che diventano così soci di Carrai in Lussemburgo. Alcuni di loro sono già nella sarl e nella omonima Wadi Ventures registrata a Tel Aviv.

Les alinéas 3 et suivants du même article 5 des statuts sont libellés comme suit:

Le capital autorisé de la société est fixé à TROIS MILLIONS SOIXANTE MILLE EUROS (3'060'000.- EUR) divisé en 3.059.999 Actions Série A actions préférentielles à dividende supplémentaire rachetables et 1 Action Ordinaire d'une valeur nominale d'UN EURO (1.- EUR).

Le Gérant est autorisé, pendant une période allant de la date de publication de l'acte de constitution de la Société au Mémorial C Recueil des Sociétés et Associations et se terminant cinq (5) ans après la date de cette publication, à augmenter en une ou plusieurs fois le capital social souscrit dans les limites du capital autorisé. Ces augmentations de capital pourront être souscrites suivant les termes et conditions définies par le Gérant, plus particulièrement en ce qui concerne la souscription et le paiement de ces actions autorisées à être souscrites et émises, comme le fait de déterminer le temps et le montant des actions autorisées à être souscrites et émises, de déterminer si elles seront émises avec ou sans prime d'émission, de déterminer dans quelle mesure le paiement des actions nouvellement souscrites est acceptable en cash ou autre apport en nature et de déterminer comment les actions nouvellement souscrites seront assignées entre actions de commandité et les actions ordinaires de commanditaires (actions ordinaires). Par ailleurs le Gérant et encore autorisé à supprimer ou limiter le droit préférentiel de souscription des actionnaires dans le cas d'une émission d'actions contre apport en numéraire.

Le Gérant peut déléguer à toute personne dûment autorisée, la fonction d'accepter des souscriptions et de recevoir payement pour des actions représentant tout ou partie de l'émission d'actions nouvelles dans le cadre du capital autorisé. A la suite de chaque augmentation du capital social dans le cadre du capital autorisé, qui a été réalisée et constatée dans les formes prévues par la Loi, le présent article sera modifié afin de refléter l'augmentation du capital. Une telle modification sera constatée sous forme authentique par le Gérant ou par toute personne dûment autorisée à cet effet par le Gérant.

3.- Que le gérant à décidé de procéder, dans le cadre du capital autorisé, à une augmentation de capital d'un montant total de EUR 1.050.000.- (un million cinquante mille Euros),

afin de porter le capital social de son montant actuel de EUR 250.001 (deux cent cinquante mille et un Euros) à EUR 1.300.001 (un million trois cent mille et un Euros)

par la création de un million cinquante mille actions nouvelles de Type A d'une valeur nominale de EUR 1 (un euro) entièrement libérées,

sans réserver, conformément aux dispositions de l'article 5 des statuts, aux Actionnaires un droit de préemption par rapport à la souscription des actions nouvellement émises,

le tout moyennant 12 tranches distinctes comme suit:

1.- En date du 7 novembre 2012 le Gérant a décidé de procéder à une augmentation du capital souscrit par le biais du capital autorisé de la société d'un montant de 100.000,00 EUR,

avec l'émission de 100.000 nouvelles actions de série A en faveur d'un nouveau souscripteur, Monsieur Davide Ravà, né à Venezia le 2.09.1966 et résidant à 20141 Milan, via Fra Riccardo Pampuri 9

Le versement de la somme d'euro 100.000 a été effectué par Monsieur David de Rana en date du 2 novembre 2013 sur le compte de la société auprès de la Société Européenne de Banque SA, Luxembourg.

2.- En date du 26 novembre 2012 le Gérant a décidé de procéder à une augmentation du capital souscrit par le biais du capital autorisé de la société d'un montant de 100.000,00 euro avec l'émission de 100.000 nouvelles actions de série A en faveur d'un nouveau souscripteur, la société FB Group S.r.l., avec siège en 00185 Rome, via San Nicola da Tolentino1/5

Le versement de la somme d'euro 100.000 a été effectué par la société FB Group S.r.l. en date du 22 novembre 2013 sur le compte de la société auprès de la Société Européenne de Banque SA, Luxembourg.

3.- En date du 27 novembre 2012 le Gérant a décidé de procéder à une augmentation du capital souscrit par le biais du capital autorisé de la société d'un montant de 50.000,00 euro avec l'émission de 50.000 nouvelles actions de série A en faveur d'un nouveau souscripteur, Monsieur Davide Serra, né le 19 janvier 1971 à Genova, résidant à Londres,▇▇▇▇▇▇▇▇▇▇▇

Le versement de la somme d'euro 50.000 a été effectué par Monsieur Davide Serra en date du 23 novembre 2012 sur le compte de la société auprès de la Société Européenne de Banque SA, Luxembourg.

4.- En date du 5 mars 2013 le Gérant a décidé de procéder à une augmentation du capital souscrit de la société par le biais du capital autorisé d'un montant de 100.000,00 euro avec l'émission de 100.000 nouvelles actions de série A en faveur d'un nouveau souscripteur, la société Equity Liner SA, avec siège en L-2449 Luxembourg, 25A boulevard Royal, RCS B0118493.

Le versement de la somme d'euro 100.000 a été effectué par la société Equity Liner en date du 1mars 2013 sur le compte de la société auprès de la Société Européenne de Banque SA, Luxembourg.

5.- En date du 19 mars 2013 le Gérant a décidé de procéder à une augmentation du capital souscrit par le biais du capital autorisé de la société d'un montant de 150.000,00 euro avec l'émission de 150.000 nouvelles actions de série A en faveur d'un nouveau souscripteur, la société Blunext S.r.l., avec siège à 20136 Milan, Corso San Gottardo 29, Numéro REA MI 19843198.

Le versement de la somme d'euro 150.000 a été effectué par la société Blunext S.r.l. en date du 15 mars 2013 sur le compte de la société auprès de la Société Européenne de Banque SA, Luxembourg.

6.- En date du 22 Avril 2013 le Gérant a décidé de procéder à une augmentation du capital souscrit par le biais du capital autorisé de la société d'un montant de 100.000,00 euro avec l'émission de 100.000 nouvelles actions de série A en faveur d'un nouveau souscripteur, Monsieur Luigi Maranzana, né, né le 22/01/1941 et résidant en 10090 Villarbase (TO), via▇▇▇▇▇▇▇▇▇▇

Le versement de la somme d'euro 100.000 a été effectué par Monsieur Luigi Maranzana en date du 17 avril 2013 sur le compte de la société auprès de la Société Européenne de Banque SA, Luxembourg.

7.- En date du 30 Mai 2013 le Gérant a décidé de procéder à une augmentation du capital souscrit par le biais du capital autorisé de la société d'un montant de 50.000,00 euro avec l'émission de 50.000 nouvelles actions de série A en faveur d'un nouveau souscripteur, Monsieur Francesco Valli, né le 15/09/1963 à Rome et résidant à Rome, ▇▇▇▇▇▇▇▇▇▇

Le versement de la somme d'euro 50.000 a été effectué par Monsieur Francesco Valli en date du 17 avril 2013 sur le compte de la société auprès de la Société Européenne de Banque SA, Luxembourg.

8.- En date du 9 Septembre 2013 le Gérant a décidé de procéder à une augmentation du capital souscrit par le biais du capital autorisé de la société d'un montant de 100.000,00 euro avec l'émission de 100.000 nouvelles actions de série A en faveur d'un nouveau, Monsieur Davide Ravà, né à Venezia le 2.09.1966 et résidant à 20141 Milan, via ▮▮▮▮▮▮▮▮▮▮▮▮▮▮▮

Le versement de la somme d'euro 100.000 a été effectué par Monsieur Davide Ravà en date du 2 Septembre 2013 sur le compte de la société auprès de la Société Européenne de Banque SA, Luxembourg.

9.- En date du 9 Septembre 2013 le Gérant a décidé de procéder à une augmentation du capital souscrit par le biais du capital autorisé de la société d'un montant de 100.000,00 euro avec l'émission de 100.000 nouvelles actions de série A en faveur d'un nouveau souscripteur, Monsieur Francesco Valli, né le 15/09/1963 à Rome et résidant à Rome, ▮▮▮▮▮▮▮▮▮▮▮▮▮

Le versement de la somme d'euro 100.000 a été effectué par Monsieur Francesco Valli en date du 2 Septembre 2013 sur le compte de la société auprès de la Société Européenne de Banque SA, Luxembourg.

10.- En date du 23 Septembre 2013 le Gérant a décidé de procéder à une augmentation du capital souscrit par le biais du capital autorisé de la société d'un montant de 100.000,00 euro avec l'émission de 100.000 nouvelles actions de série A en faveur d'un nouveau souscripteur, Monsieur Luigi Maranzana, né le 22/01/1941 et résidant en 10090 Villarbase (TO), via ▮▮▮▮▮▮▮▮▮▮▮▮ ▮▮▮▮▮

Le versement de la somme d'euro 100.000 a été effectué par Monsieur Luigi Maranzana en date du 16 Septembre 2013 sur le compte de la société auprès de la Société Européenne de Banque SA, Luxembourg.

11.- En date du 24 Septembre 2013 le Gérant a décidé de procéder à une augmentation du capital souscrit par le biais du capital autorisé de la société d'un montant de 50.000,00 euro avec l'émission de 50.000 nouvelles actions de série A en faveur d'un nouveau souscripteur, Monsieur Davide Serra né le 19 janvier 1971 à Genova, résidant à Londres, ▮▮▮▮▮▮▮▮▮▮▮▮

Le versement de la somme d'euro 50.000 a été effectué par Monsieur Luigi Maranzana en date du 17 Septembre 2013 sur le compte de la société auprès de la Société Européenne de Banque SA, Luxembourg.

12.- En date du 11 décembre 2013 le Gérant a décidé de procéder à une augmentation du capital souscrit par le biais du capital autorisé de la société d'un montant de 100.000,00 euro avec l'émission de 100.000 nouvelles actions de série A en faveur d'un nouveau souscripteur, Monsieur Giulio Moscati, né le 13.11.1960 à Rome et résidant à 00152 Rome, ▮▮▮▮▮▮▮▮▮▮▮▮▮

Le versement de la somme d'euro 100.000 a été effectué par Monsieur Giulio Moscati en date du 5 décembre 2013 sur le compte de la société auprès de la Société Européenne de Banque SA, Luxembourg.

4.- La réalisation de l'augmentation de capital est constatée d'un point de vue comptable, à la date de la décision, soit le 11 décembre 2013, ce qui est prouvée au notaire instrumentant sur le vu des documents de souscription.

La somme totale de EUR 1.050.000.- (un million cinquante mille Euros) se trouvait être à la disposition de la société ainsi qu'il en a été justifié au notaire par certificat bancaire.

Wadi Ventures S.C.A., **Société en Commandite par Actions.**

Siège social: L-1510 Luxembourg, 8, avenue de la Faïencerie.

R.C.S. Luxembourg B 173.259.

L'an deux mille quatorze, le trente décembre.

Par-devant Maître Martine SCHAEFFER, notaire de résidence à Luxembourg-Ville.

A comparu:

La société anonyme de droit luxembourgeois dénommée WADI VENTURES MANAGEMENT COMPANY S.à r.l, une société à responsabilité limitée constituée et existant sous le droit luxembourgeois, dont le siège social se situe au 19, boulevard Grande-Duchesse Charlotte à L-1331 Luxembourg inscrite auprès du registre du commerce et des sociétés de Luxembourg B n° 170798,

ici représentée par Monsieur Liridon ELSHANI, clerc de notaire, demeurant professionnellement à Luxembourg,

agissant sur base d?une résolution du conseil d?administration de WADI VENTURES MANAGEMENT COMPANY S.à r.l., une société à responsabilité limitée ayant son siège social au 8, avenue de la Faïencerie, numéro RCS B170.798, une copie du susdit conseil d? administration daté du 29 décembre 2014 reste annexé au présent,

en sa qualité de gérant unique commandité de la société en commandite par actions dénommée «WADI VENTURES S.C.A.», ayant son siège social à L-1510 Luxembourg, ▮▮▮▮▮▮▮▮▮▮▮▮▮▮▮▮▮ ▮▮▮▮▮▮▮▮▮▮▮▮▮▮▮▮▮,

constituée par acte reçu par le notaire soussigné en date du 4 octobre 2012, publié au Mémorial C numéro 149 du 22 janvier 2013, et dont les statuts ont été modifié pour la dernière fois suivant un cate reçu par le notaire instrumentaire en date du 5 mars 2014, publié au Mémorial C, numéro 1298 du 21 mai 2014.

Laquelle société comparante, ès-qualité qu'elle agit, a requis le notaire instrument d'acter les déclarations suivantes:

1.- Que le capital social de la société prédésignée s'élève actuellement à UN MILLION TROIS CENT MILLE ET UN EUROS (1.300.001.- EUR) représenté par un million trois cent mille (1.300.000) Actions de commanditaire - Série A (les «actions A»), d'une valeur nominale d'UN EURO (1.- EUR) et une (1) action ordinaire (action de commandité) d'une valeur nominale d'UN EURO (1.- EUR), toutes souscrites et intégralement libérées.

2.- Qu'aux termes du 2 ᵉᵐᵉ alinéa de l?article 5 des statuts, la société a un capital autorisé qui est fixé à TROIS MILLIONS SOIXANTE MILLE EUROS (3.060.000.- EUR),

divisé en 3.059.999 Actions Série A actions préférentielles à dividende supplémentaire rachetables

et 1 Action Ordinaire d?une valeur nominale d?UN EURO (1.- EUR),

http://www.etat.lu/memorial/2015/C/Html/0550/2015013983.html   10/03/2016

L'ingresso di nuovi «amici» nella Wadi Ventures Sarl – Il 30 dicembre 2014, a distanza di pochi mesi dal primo, viene effettuato un nuovo aumento di capitale che viene portato a 3.060.000 euro e sottoscritto fino a 1,3 milioni. Alcune quote vengono sottoscritte da soci già esistenti. Fanno il loro ingresso nuovi soggetti, tutti italiani. Come Giovanni Levi e Fabrizio Landi, nel frattempo nominato dall'esecutivo Renzi nel cda di Finmeccanica. Entra nella società in Lussemburgo anche l'imprenditore Michele Pizzarotti dell'omonima azienda impegnata in Italia nelle infrastrutture pubbliche.

et que le même article autorise le gérant commandité à augmenter le capital social dans les limites du capital autorisé.

Les alinéas 3 et suivants du même article 5 des statuts sont libellés comme suit:

Le capital autorisé de la société est fixé à TROIS MILLIONS SOIXANTE MILLE EUROS (3'060'000.- EUR) divisé en 3.059.999 Actions Série A actions préférentielles à dividende supplémentaire rachetables et 1 Action Ordinaire d'?une valeur nominale d'?UN EURO (1.-EUR).

Le Gérant est autorisé, pendant une période allant de la date de publication de l'?acte de constitution de la Société au Mémorial C Recueil des Sociétés et Associations et se terminant cinq (5) ans après la date de cette publication, à augmenter en une ou plusieurs fois le capital social souscrit dans les limites du capital autorisé. Ces augmentations de capital pourront être souscrites suivant les termes et conditions définies par le Gérant, plus particulièrement en ce qui concerne la souscription et le paiement de ces actions autorisées à être souscrites et émises, comme le fait de déterminer le temps et le montant des actions autorisées à être souscrites et émises, de déterminer si elles seront émises avec ou sans prime d'?émission, de déterminer dans quelle mesure le paiement des actions nouvellement souscrites est acceptable en cash ou autre apport en nature et de déterminer comment les actions nouvellement souscrites seront assignées entre actions de commandité et les actions ordinaires de commanditaires (actions ordinaires). Par ailleurs le Gérant et encore autorisé à supprimer ou limiter le droit préférentiel de souscription des actionnaires dans le cas d'?une émission d'?actions contre apport en numéraire.

Le Gérant peut déléguer à toute personne dûment autorisée, la fonction d'?accepter des souscriptions et de recevoir payement pour des actions représentant tout ou partie de l'?émission d'? actions nouvelles dans le cadre du capital autorisé. A la suite de chaque augmentation du capital social dans le cadre du capital autorisé, qui a été réalisée et constatée dans les formes prévues par la Loi, le présent article sera modifié afin de refléter l'?augmentation du capital. Une telle modification sera constatée sous forme authentique par le Gérant ou par toute personne dûment autorisée à cet effet par le Gérant.

3.- Que le gérant à décidé de procéder, dans le cadre du capital autorisé, à une augmentation de capital d'?un montant total de EUR 275.000- (deux cent soixante-quinze mille euros),

afin de porter le capital social de son montant actuel de 1.300.001.-EUR (un million trois cent mille et un euros) à EUR 1.575.001 (un million cinq cent soixante-quinze mille et un Euros)

par la création de 275.000 (deux cent soixante-quinze mille) nouvelles actions A de valeur nominale de EUR 1.- (un euro) entièrement libérées,

sans réserver, conformément aux dispositions de l'?article 5 des statuts, aux Actionnaires un droit de préemption par rapport à la souscription des actions nouvellement émises,

le tout moyennant 3 tranches distinctes comme suit:

I. En date du 24 avril 2014 le Gérant a décidé de procéder à une augmentation du capital souscrit de la société d'?un montant d'?EUR 100.000.- avec l'?émission de 100.000 nouvelles actions A en faveur du `un nouveau souscripteur, Monsieur Giovanni LEVI, né à Turin (Italie) le 19.11.1971 et résidant à Londres (Grande-Bretagne), ███████████████████

Le versement de la somme d'?EUR 100.000.- a été effectué par Monsieur Giovanni LEVI en date du 26 mars 2014 sur le compte de la société auprès de la Société Européenne de Banque SA, Luxembourg.

II. En date du 4 juillet 2014 le Gérant a décidé de procéder à une augmentation du capital souscrit de la société d?un montant d?EUR 75.000.- avec l?émission de 75.000 nouvelles actions A en faveur d`un nouveau souscripteur, Monsieur Fabrizio LANDI, né à Sienne (Italie) le 20 août 1953 et résidant à 53037 San Gimignano (Italie), ▮▮▮▮▮▮▮▮▮▮▮▮▮

Le versement de la somme d?EUR 75.000 a été effectué par Monsieur Fabrizio LANDI en date du 6 juin 2014 sur le compte de la société auprès de la Société Européenne de Banque SA, Luxembourg.

III. En date du 4 septembre 2014 le Gérant a décidé de procéder à une augmentation du capital souscrit de la société d?un montant d?EUR 100.000.- avec l?émission de 100.000 nouvelles actions A en faveur d?un nouveau souscripteur, M. Monsieur Michele PIZZAROTTI, né à Parme (Italie) le 12 septembre 1975 et résidant à Parme (Italie), ▮▮▮▮▮▮▮▮▮▮▮▮▮

Le versement de la somme d?EUR 100.000 a été effectué par Monsieur Michele PIZZAROTTI en date du 8 août 2014 sur le compte de la société auprès de la Société Européenne de Banque SA, Luxembourg.

4.- La réalisation de l?augmentation de capital est constatée par le notaire instrumentant sur le vu des documents de souscription.

La somme totale de EUR 275.000- (deux cent soixante-quinze mille euros) se trouvait être à la disposition de la société ainsi qu'il en a été justifié au notaire par un certificat bancaire.

5.- Que suite à la réalisation de cette augmentation, le capital se trouve porté à EUR 1.575.001 (un million cinq cent soixante-quinze mille et un Euros),

de sorte que le premier alinéa de l?article 5 des statuts, version anglaise et traduction française, aura dorénavant la teneur suivante:

English version:

?The issued share capital of the Company is set at ONE MILLION FIVE HUNDRED SEVENTY-FIVE THOUSAND AND ONE EURO (1,575,001.- EUR) divided into one million five hundred seventy-five thousand (1,575,000) Series A Redeemable Participating Preference Shares (the "A Shares") and one (1) Ordinary Share (the "Ordinary Share") with a par value of ONE EURO (1.- EUR), all of which are fully paid up.?

Version française:

«Le capital social souscrit de la Société est fixé à UN MILLION CINQ CENT SOIXANTE-QUINZE MILLE ET UN EUROS (1.575.001.-EUR) représenté par un million cinq cent soixante-quinze mille (1.575.000) Actions de commanditaire - Série A (les «actions A»), d?une valeur nominale d?UN EURO (1.- EUR) et une (1) action ordinaire (action de commandité) d?une valeur nominale d?UN EURO (1.- EUR), toutes souscrites et intégralement libérées.»

Frais - Déclaration

Les frais, dépenses, honoraires ou charges sous quelque forme que ce soit, incombant à la société ou mis à sa charge en raison des présentes sont évalués à EUR 2.100.

DICHIARAZIONE DEI REDDITI 2005 DEI CONSIGLIERI	
CARRAI Marco	78.228,00

Consiglieri comunali Dichiarazioni redditi anno 2005	
Consigliere	Reddito imponibile anno 2005
Carrai Marco	€ 84.784,00

CARRAI	MARCO
CONSIGLIERE COMUNALE	

REDDITI CONTENUTI NELLA DICHIARAZIONE DEI REDDITI ANNO 2006	
Dominicali	,00
agrari	,00
dei fabbricati	1.740,00
di lavoro dipendente e assimilati	29.876,00
di lavoro autonomo	66.008,00
di impresa	,00
di partecipazione	,00
di capitale	,00
TOTALI	97.588,00

PUBBLICITÀ DELLA SITUAZIONE REDDITUALE E PATRIMONIALE AMMINISTRATORI COMUNALI
(Legge 5 luglio 1982, n.441)

Cognome	Nome
CARRAI	MARCO

REDDITI CONTENUTI NELLA DICHIARAZIONE DEI REDDITI ANNO 2006	
Dominicali	,00
agrari	,00
dei fabbricati	1740 ,00
di lavoro dipendente e assimilati	29876 ,00
di lavoro autonomo	66008 ,00
di impresa	,00
di partecipazione	,00
di capitale	,00
TOTALI 40 000	97.588 ,00

TOTALE (– oneri deducibili)   11 394

Reddito imponibile   86.194

PUBBLICITÀ DELLA SITUAZIONE REDDITUALE E PATRIMONIALE AMMINISTRATORI COMUNALI
(Legge 5 luglio 1982, n.441)

Cognome	Nome
CARRAI	MARCO
CONSIGLIERE COMUNALE	

REDDITI CONTENUTI NELLA DICHIARAZIONI DEI REDDITI ANNO 2007	
Dominicali	,00
agrari	,00
dei fabbricati	1.704,00
di lavoro dipendente e assimilati	28.248,00
di lavoro autonomo	,00
di impresa	65.965,00
di partecipazione	,00
di capitale	,00
TOTALI	93.917,00

Cognome	Nome
CARRAI	MARCO

REDDITI CONTENUTI NELLA DICHIARAZIONE DEI REDDITI ANNO 2008	
Dominicali	,00
agrari	,00
dei fabbricati	1704 ,00
di lavoro dipendente e assimilati	28248 ,00
di lavoro autonomo	,00
di impresa	,00
di partecipazione	65.965 ,00
di capitale	,00
TOTALI	959/7 ,00

Redditi Carrai – I redditi dichiarati da Marco Carrai al Comune di Firenze negli anni in cui aveva incarichi con l'amministrazione.